Sont parus dans cette collection :

HISTOIRES EXTRAORDINAIRES

Edgar Allan Poe

Adaptation de Laurent Divers
Illustrations de Marcel Laverdet

Éditions HEMMA

LA LETTRE VOLÉE

J'étais à Paris en 18... Après une sombre et orageuse soirée d'automne, je fumais une pipe en compagnie de mon ami Dupin, dans sa petite bibliothèque, rue Dunot, n° 33, au troisième, faubourg Saint-Germain. Pendant une bonne heure, nous avions gardé le silence, chacun de nous profondément absorbé dans ses pensées, quand la porte de notre appartement s'ouvrit et donna passage à notre vieille connaissance, M. G..., le préfet de police de Paris.

Nous lui souhaitâmes cordialement la bienvenue car nous ne l'avions pas vu depuis quelques années. D'emblée, le préfet nous annonça qu'il était venu pour nous consulter à propos d'une affaire qui lui avait causé une masse d'embarras.

— Et quel est ce cas embarrassant ? dit Dupin en présentant une pipe à notre visiteur, et roulant vers lui un excellent fauteuil.

— Oh ! Le fait est que l'affaire est vraiment très simple, et je ne doute pas que mes services de police ne puissent s'en tirer fort bien eux-mêmes ; mais j'ai pensé que Dupin ne serait pas fâché d'apprendre les détails de cette affaire, parce qu'elle est excessivement bizarre.

— Simple et bizarre, dit Dupin.

— Mais oui ! Le fait est que nous avons été tous là-bas fortement embarrassés par cette affaire ; car, toute simple qu'elle est, elle nous déroute complètement.

— Peut-être le mystère est-il un peu trop clair, dit Dupin.

— Oh ! bonté du ciel ! Quelle idée ridicule ! Ha ! ha ! ha ! ha ! oh ! oh ! criait notre hôte, qui se divertissait profondément. Oh ! Dupin, vous me ferez mourir de joie, voyez-vous.

— Et enfin, demandai-je, quelle est la chose en question ?

— Mais, je vais vous la raconter, répliqua le préfet en s'enfonçant dans son fauteuil. Pourtant, avant de commencer, laissez-moi vous avertir que c'est une affaire qui demande le plus grand secret, et que je perdrais très probablement le poste que j'occupe, si l'on savait que je l'ai confiée à qui que ce soit.

— Commencez, dis-je.

— J'ai été informé personnellement par quelqu'un de haut placé qu'un certain document de la plus grande importance avait été dérobé dans les appartements royaux. On connaît le voleur ; on l'a vu s'en emparer. On sait aussi que ce document est toujours en sa possession.

— Comment sait-on cela ? demanda Dupin.

— Eh bien, j'irai jusqu'à vous dire que ce papier confère un certain pouvoir à son détenteur. Ce document, révélé à un troisième personnage, dont je tairai le nom, mettrait en question l'honneur d'une personne du plus haut rang ; et voilà ce qui donne au détenteur du document un ascendant sur l'illustre personne dont l'honneur et la sécurité sont ainsi mis en péril.

— Mais, interrompis-je, qui oserait... ?

— Le voleur, dit le préfet, c'est D..., le ministre. Et voici comment il a procédé : le document en question, une lettre, pour être exact, a été reçu par la personne volée pendant qu'elle était seule dans le boudoir royal. Pendant qu'elle le lisait, elle fut soudainement interrompue par l'entrée de l'autre illustre personnage à qui elle désirait particulièrement le cacher. Après avoir essayé en vain de le jeter rapidement dans un tiroir, elle fut obligée de le déposer tout ouvert sur une table. Sur ces entrefaites arriva le ministre D... Son œil de lynx perçoit immédiatement le papier, reconnaît l'écriture, remarque l'embarras de la personne à qui elle était adressée, et pénètre son secret.

Après avoir traité quelques affaires, il tire de sa poche

une lettre à peu près semblable à la lettre en question, l'ouvre, fait semblant de la lire, et la place juste à côté de l'autre. Il se remet à causer, pendant un quart d'heure environ, des affaires publiques. Puis, il prend congé, et met la main sur la lettre à laquelle il n'a aucun droit. La personne volée le vit, mais, naturellement, n'osa pas attirer l'attention sur ce fait, en présence du troisième personnage qui était à son côté. Le ministre décampa, laissant sur la table sa propre lettre, une lettre sans importance.

— Ainsi, dit Dupin en se tournant à moitié vers moi, le voleur sait que la personne volée connaît son voleur.

— Oui, répliqua le préfet, et, depuis quelques mois, le ministre D... profite de sa position de force acquise par le vol du document. La personne volée est de jour en jour plus convaincue de la nécessité de récupérer sa lettre. Mais, naturellement, cela ne peut pas se faire ouvertement. Enfin, poussée au désespoir, elle m'a chargé de cette tâche.

— Il n'était pas possible, dit Dupin dans une auréole de fumée, de choisir un agent plus sagace.

— Vous me flattez, répliqua le préfet.

— Il est clair, dis-je, comme vous l'avez remarqué, que la lettre est toujours entre les mains du ministre, et qu'il n'en a pas encore divulgué le contenu ; car aussitôt, il perdrait son pouvoir sur la personne.

— C'est vrai, dit G..., et je suis moi aussi arrivé à cette conclusion. Mon premier soin a été de faire une recherche minutieuse à l'hôtel du ministre; et, là, mon principal embarras fut de chercher sans qu'il puisse s'en rendre compte.

— Mais, dis-je, vous êtes tout à fait à votre affaire, dans ces espèces d'investigations. La police parisienne a pratiqué la chose plus d'une fois.

— Oh! sans doute, d'autant plus que les habitudes du ministre me donnaient un grand avantage. Il est souvent absent de chez lui toute la nuit. Ses domestiques ne sont pas nombreux. Ils couchent à une certaine distance de l'appartement de leur maître, et ils mettent de la bonne volonté à se laisser enivrer. J'ai, comme vous savez, des clefs avec lesquelles je puis ouvrir toutes les serrures de Paris. Pendant trois mois, il ne s'est pas passé une nuit, dont je n'aie employé la plus grande partie à fouiller, en personne, l'hôtel D... J'en ai fait une question d'honneur, et, pour vous confier un grand secret, la récompense est énorme. Aussi, je n'ai abandonné les recherches que lorsque j'ai été pleinement convaincu que le voleur était encore plus fin que moi. Je crois que j'ai scruté tous les coins et recoins de la maison dans lesquels il était possible de cacher un papier.

— Mais ne serait-il pas possible, insinuai-je, que le ministre ait le document sur lui en permanence?

— Cela n'est guère possible, dit le préfet. Je l'ai fait arrêter deux fois par de faux voleurs, et sa personne a été scrupuleusement fouillée sous mes propres yeux.

— Vous auriez pu vous épargner cette peine, dit

Dupin. D... n'est pas absolument fou, je présume, et dès lors il a dû prévoir ces guets-apens comme choses naturelles.

— Voyons, dis-je, racontez-nous les détails précis de votre recherche.

— Le fait est que nous avons pris notre temps, et que nous avons cherché partout. J'ai une vieille expérience de ces sortes d'affaires. Nous avons fouillé la maison pièce par pièce ; nous avons consacré à chacune les nuits de toute une semaine. Nous avons d'abord examiné les meubles de chaque appartement. Nous avons ouvert tous les tiroirs possibles ; et je présume que vous n'ignorez pas que, pour un agent de police bien dressé, un tiroir secret est une chose qui n'existe pas. Après les chambres, nous avons pris les sièges. Les coussins ont été sondés avec ces longues et fines aiguilles que vous m'avez vu employer. Nous avons enlevé les dessus des tables.

— Et pourquoi ?

— Quelquefois le dessus d'une table est enlevé par une personne qui désire cacher quelque chose ; elle creuse le pied de la table ; l'objet est déposé dans la cavité, et le dessus replacé. On se sert de la même manière des montants d'un lit.

— Mais vous n'avez pas pu démonter tous les meubles dans lesquels on aurait pu cacher quelque chose. Une lettre peut être roulée en une spirale très mince, ressemblant beaucoup par sa forme et son volume à une grosse aiguille à tricoter, et être ainsi insérée dans un bâton de chaise, par exemple. Avez-vous démonté toutes les chaises ?

— Non, certainement, mais nous avons fait mieux, nous avons examiné les bâtons de toutes les chaises de l'hôtel, et même les jointures de tous les meubles, à l'aide d'un puissant microscope. S'il y avait eu la moindre trace de manipulation récente, nous l'aurions infailliblement découvert aussitôt. Un seul grain de poussière causée par la vrille, par exemple, nous aurait sauté aux yeux comme une pomme. La moindre altération dans la colle, un simple bâillement dans les jointures aurait suffi pour nous révéler la cachette.

— Je présume que vous avez examiné les miroirs et les tableaux, et que vous avez fouillé les lits, aussi bien que les rideaux et les tapis.

— Naturellement ; et quand nous eûmes absolument passé en revue tous les objets de ce genre, nous avons examiné la maison elle-même. Nous avons divisé la totalité de sa surface en compartiments, que nous avons numérotés, pour être sûrs de n'en omettre aucun ; nous avons fait de chaque centimètre carré l'objet d'un nouvel examen au microscope, et nous y avons compris les deux maisons adjacentes.

— Les deux maisons adjacentes ! m'écriai-je ; vous avez dû vous donner bien du mal.

— Oui, ma foi ! Mais la récompense offerte est énorme.

— Dans les maisons, comprenez-vous le sol ?

— Le sol est partout pavé en briques. Comparativement, cela ne nous a pas donné grand mal. Nous avons examiné la mousse entre les briques, elle était intacte.

— Vous avez sans doute visité les papiers de D..., et les livres de la bibliothèque ?

— Certainement, nous avons ouvert chaque paquet et chaque article ; nous n'avons pas seulement ouvert les livres, mais nous les avons parcourus feuillet par feuillet, ne nous contentant pas de les secouer simplement comme font plusieurs de nos officiers de police. Nous avons aussi mesuré l'épaisseur de chaque reliure avec la plus exacte minutie, et nous avons procédé pour chacune à un examen au microscope. Si l'on avait récemment inséré quelque chose dans une des reliures, il eût été absolument impossible que le fait échappât à notre observation.

— Vous avez exploré les parquets, sous les tapis ?

— Sans doute. Nous avons enlevé chaque tapis, et nous avons examiné les planches au microscope.

— Et les papiers des murs ?

— Aussi.

— Vous avez visité les caves ?

— Nous avons visité les caves.

— Ainsi, dis-je, vous avez fait fausse route, et la lettre n'est pas dans l'hôtel, comme vous le supposiez.

— Je crains que vous n'ayez raison, dit le préfet. Et vous maintenant, Dupin, que me conseillez-vous de faire ?

14

— Faire une perquisition complète.

— C'est absolument inutile ! répliqua G... Aussi sûr que je vis, la lettre n'est pas dans l'hôtel !

— Je n'ai pas de meilleur conseil à vous donner, dit Dupin. Vous avez, sans doute, un signalement exact de la lettre ?

— Oh ! oui !

Et ici, le préfet, tirant un agenda, se mit à nous lire à haute voix une description minutieuse du document perdu, de son aspect intérieur, et spécialement de l'extérieur. Peu de temps après avoir fini la lecture de cette description, cet excellent homme prit congé de nous, plus accablé et l'esprit plus découragé que je ne l'avais vu jusqu'alors.

Environ un mois après, il nous fit une seconde visite, et nous trouva occupés à peu près de la même façon. Il prit une pipe et un siège, et causa de choses et d'autres. À la longue, je lui dis :

— Eh bien, mais G..., et votre lettre volée ? Je présume qu'à la fin, vous vous êtes résigné à comprendre que ce n'est pas une petite besogne que de s'attaquer à un ministre ?

— Que le diable l'emporte ! J'ai pourtant recommencé cette perquisition, comme Dupin me l'avait conseillé ; mais, comme je m'en doutais, ça a été peine perdue.

— De combien est la récompense offerte ? Vous nous avez dit..., demanda Dupin.

— Mais... elle est très forte..., une récompense

vraiment magnifique, je ne veux pas vous dire au juste combien ; mais une chose que je vous dirai, c'est que je m'engagerais bien à payer de ma bourse cinquante mille francs à celui qui pourrait me trouver cette lettre. Le fait est que la chose devient de jour en jour plus urgente, et la récompense a été doublée récemment. Mais, en vérité, on la triplerait, que je ne pourrais faire mon devoir mieux que je l'ai fait.

— Mais... oui..., dit Dupin en traînant ses paroles au milieu des bouffées de sa pipe, je crois réellement, G..., que vous n'avez pas fait tout votre possible. Vous n'êtes pas allé au fond de la question. Vous pourriez faire un peu plus, je pense du moins, hein ?

— Mais, dit le préfet, un peu décontenancé, je donnerais vraiment cinquante mille francs à quiconque me tirerait d'affaire.

— Dans ce cas, répliqua Dupin, ouvrant un tiroir et en tirant un livre de mandats, vous pouvez aussi bien me faire un bon pour la somme susdite. Quand vous l'aurez signé, je vous remettrai votre lettre.

Je fus stupéfié. Quant au préfet, il semblait absolument foudroyé. Pendant quelques minutes, il resta muet et immobile, regardant mon ami, la bouche béante, avec un air incrédule et des yeux qui semblaient lui sortir de la tête ; enfin, il parut revenir un peu à lui, il saisit une plume, et, après quelques hésitations, le regard ébahi et vide, il remplit et signa un bon de cinquante mille francs et le tendit à Dupin par-dessus la table. Ce dernier l'examina soigneusement et le serra dans son portefeuille ; puis, ouvrant un pupitre, il en tira une lettre et la donna au préfet. Notre fonctionnaire l'agrippa, l'ouvrit d'une main tremblante, jeta un coup d'œil sur son contenu, puis, attrapant précipitamment la porte, se rua sans plus de cérémonie hors de la chambre et de la maison, sans avoir prononcé une syllabe depuis le moment où Dupin l'avait prié de remplir le mandat.

Quand il fut parti, mon ami entra dans quelques explications.

— La police parisienne, dit-il, est excessivement habile dans son métier. Ses agents sont persévérants, ingénieux, rusés, et possèdent à fond toutes les connaissances que requièrent spécialement leurs fonctions. Aussi, quand le préfet nous détaillait son mode de perquisition dans l'hôtel D..., j'avais une entière confiance dans ses talents, et j'étais sûr qu'il avait fait une investigation poussée à une absolue perfection. Si la lettre avait été cachée dans le rayon de leur investigation, ces gaillards l'auraient trouvée, cela ne fait pas pour moi l'ombre d'un doute.

Je me contentai de rire ; mais Dupin semblait avoir dit cela fort sérieusement.

— Mais ces mesures, continua-t-il, avaient pour défaut d'être inapplicables au cas et à l'homme en question. Si le préfet et toute sa bande se sont trompés, c'est d'abord par une appréciation inexacte de l'intelligence avec laquelle ils se mesurent. Ils ne voient que leurs propres idées ingénieuses ; et, quand ils cherchent quelque chose de caché, ils ne pensent qu'aux moyens dont ils se seraient servis pour le cacher. C'est sans doute bien suffisant pour le commun des mortels ; mais, quand il se trouve un malfaiteur particulier dont la finesse diffère de la leur, ce malfaiteur, naturellement, les roule.

Dans le cas de D..., par exemple, qu'a-t-on fait pour changer le système d'opération ? Qu'est-ce que c'est que toutes ces perforations, ces fouilles, ces sondes, cet examen au microscope, cette division des surfaces en pouces carrés numérotés ? Ne voyez-vous pas que le préfet considère comme chose démontrée que tous les hommes qui veulent cacher une lettre se servent nécessairement de cachettes toujours originales. Dans ce cas, la découverte ne dépend nullement de la perspicacité, mais simplement du soin, de la patience et de la résolution des chercheurs. Vous comprenez maintenant ce que je voulais dire en affirmant que, si la lettre volée avait été cachée dans le rayon de la perquisition de notre préfet, il l'eût infailliblement découverte. Cependant, ce fonctionnaire a été complètement mystifié.

— Mais pas vous, dis-je. Comment avez-vous résolu ce problème ?

— J'ai d'abord essayé de savoir à qui j'avais affaire. Je savais que c'était un homme de cour et un intrigant déterminé. Je réfléchis qu'un pareil homme devait indubitablement être au courant des pratiques de la police. Évidemment, il devait avoir prévu les guets-apens qui lui ont été préparés. Je me dis qu'il avait prévu les perquisitions secrètes dans son hôtel. Ces fréquentes absences nocturnes que notre bon préfet avait saluées comme des adjuvants positifs de son futur succès, je les regardais simplement comme des ruses pour faciliter les libres recherches de la police et lui persuader plus facilement que la lettre n'était pas dans l'hôtel. Cet homme-là ne pouvait pas être assez faible pour ne pas deviner que la cachette la plus compliquée, la plus profonde de son hôtel serait aussi peu secrète qu'une antichambre ou une armoire pour les yeux, les sondes, les vrilles et les microscopes du préfet. Enfin je voyais qu'il avait dû rechercher nécessairement la simplicité. Vous vous rappelez sans doute avec quels éclats de rire le préfet accueillit l'idée que j'exprimai dans notre première entrevue, à savoir que si le mystère l'embarrassait si fort, c'était peut-être en raison de son absolue simplicité.

— Oui, dis-je, je me rappelle parfaitement son hilarité. Je croyais vraiment qu'il allait tomber dans des attaques de nerfs.

— De fait, le préfet n'a jamais cru probable ou possible que le ministre eût déposé sa lettre juste sous le nez du monde entier, comme pour mieux empêcher un individu quelconque de l'apercevoir. Mais plus je réfléchissais à l'audacieux et brillant esprit de D..., – à ce fait qu'il avait dû toujours avoir le document sous la main, pour en faire immédiatement usage, si besoin était, et que ce document n'était pas caché dans les limites d'une perquisition ordinaire –, plus je me sentais convaincu que le ministre, pour cacher sa lettre, avait eu recours à l'expédient le plus ingénieux du monde, le plus large, qui était de ne pas même essayer de la cacher.

Fort de ces réflexions, j'ajustai sur mes yeux une paire de lunettes vertes, et je me présentai un beau matin, comme par hasard, à l'hôtel du ministre. Je trouve D... chez lui, bâillant, flânant, musant, et se prétendant accablé d'un suprême ennui.

Pour n'être pas en reste avec lui, je me plaignais de la faiblesse de mes yeux et de la nécessité de porter des lunettes. Mais, derrière ces lunettes, j'inspectais soigneusement et minutieusement tout l'appartement, en faisant semblant d'être tout à la conversation de mon hôte.

Je prêtai une attention spéciale à un vaste bureau auprès duquel il était assis, et sur lequel gisaient pêle-mêle des lettres diverses et d'autres papiers, avec un ou deux instruments de musique et quelques livres. Après un long examen, fait à loisir, je n'y vis rien qui pût exciter particulièrement mes soupçons.

À la longue, mes yeux, en faisant le tour de la chambre, tombèrent sur un misérable porte-cartes, orné de clinquant, et suspendu par un ruban bleu crasseux à un petit bouton de cuivre au-dessus du manteau de la cheminée. Ce porte-cartes, qui avait trois ou quatre compartiments, contenait cinq ou six cartes de visite et une lettre unique. Cette dernière était fortement salie et chiffonnée. Elle était presque déchirée en deux par le milieu, comme si on avait eu d'abord l'intention de la déchirer entièrement, ainsi qu'on fait d'un objet sans valeur ; mais on avait vraisemblablement changé d'idée. Elle portait un large sceau noir avec le cachet de D... très en évidence, et était adressée au ministre lui-même. La suscription était d'une écriture de femme très fine. On l'avait jetée négligemment, et même, à ce qu'il semblait, assez dédaigneusement dans l'un des compartiments supérieurs du porte-cartes.

À peine eus-je jeté un coup d'œil sur cette lettre que je conclus que c'était celle dont j'étais en quête. Évidemment elle était, par son aspect, absolument différente de celle dont le préfet nous avait lu une description si minutieuse. Ici, le sceau était large et noir avec le cachet de D...; dans l'autre, il était petit et rouge, avec les armes ducales de la famille S... Ici, la suscription était d'une écriture menue et féminine ; dans l'autre, l'adresse, portant le nom d'une personne royale, était d'une écriture hardie, décidée et caractérisée ; les deux lettres ne se ressemblaient qu'en un point, la dimension. Mais le caractère excessif de ces différences, la saleté, l'état déplorable du papier, fripé et déchiré, qui contredisaient les véritables habitudes de D..., si méthodique, et qui dénonçaient l'intention de dérouter un indiscret en lui offrant toutes les apparences d'un document sans valeur, tout cela, en y ajoutant la situation impudente du document mis en plein sous les yeux de tous les visiteurs et concordant ainsi exactement avec mes conclusions antérieures, tout cela, dis-je, était fait pour corroborer mes soupçons.

Je prolongeai ma visite aussi longtemps que possible, et, tout en soutenant une discussion très vive avec le ministre sur un point que je savais être pour lui d'un intérêt toujours nouveau, je gardais invariablement mon attention braquée sur la lettre. Tout en faisant cet examen, je réfléchissais sur son aspect extérieur et sur la manière dont elle était arrangée dans le porte-cartes. Il était clair pour moi que la lettre était celle que je recherchais. Je souhaitai le bonjour au ministre, et je pris soudainement congé de lui, en oubliant une tabatière en or sur son bureau.

Le matin suivant, je vins pour chercher ma tabatière, et nous reprîmes très vivement la conversation de la veille. Mais, pendant que la discussion s'engageait, une détonation très forte, comme un coup de pistolet, se fit entendre sous les fenêtres de l'hôtel, et fut suivie des cris et des vociférations d'une foule épouvantée. D... se précipita vers une fenêtre, l'ouvrit et regarda dans la rue. En même temps, j'allai droit au porte-cartes, je pris la lettre, je la mis dans ma poche et je la remplaçai par une autre, une espèce de fac-similé (quant à l'extérieur), que j'avais soigneusement préparé chez moi, en contrefaisant le sceau de D... à l'aide d'un sceau de mie de pain.

Le tumulte de la rue avait été causé par le caprice insensé d'un homme armé d'un fusil. Il avait déchargé son arme au milieu d'une foule de femmes et d'enfants. Mais comme elle n'était pas chargée à balle, on prit ce drôle pour un lunatique ou un ivrogne, et on lui permit de continuer son chemin. Quand il fut parti, D... se retira de la fenêtre, où je l'avais suivi immédiatement après m'être assuré de la précieuse lettre. Peu d'instants après, je lui dis adieu. Le prétendu fou était un homme payé par moi.

— Mais quel était votre but, demandai-je à mon ami, en remplaçant la lettre par une contrefaçon ? N'eût-il pas été plus simple, dès votre première visite, de vous en emparer, sans autres précautions, et de vous en aller ?

— D..., répliqua Dupin, est capable de tout, et, de plus, c'est un homme solide. D'ailleurs, il a dans son hôtel des serviteurs à sa dévotion. Si j'avais fait l'extravagante tentative dont vous parlez, je ne serais pas sorti vivant de chez lui. Le bon peuple de Paris n'aurait plus entendu parler de moi. Mais, à part ces considérations, j'avais un but particulier. Vous connaissez mes sympathies politiques. Dans cette affaire, j'agis comme partisan de la dame en question. Voilà dix-huit mois que le ministre la tient en son pouvoir. C'est elle maintenant qui le tient, puisqu'il ignore que la lettre n'est plus chez lui, et qu'il va vouloir procéder à son chantage habituel. Il va donc infailliblement opérer lui-même et du premier coup sa ruine politique. Je n'ai aucune sympathie, pas même de pitié pour cet homme de génie sans principes. Une fois,

LA CHUTE DE LA MAISON USHER

Pendant toute une journée d'automne, journée sombre
où les nuages pesaient lourds et bas dans le ciel, j'avais
traversé seul et à cheval une étendue de pays
singulièrement lugubre. Enfin, comme les ombres du soir
approchaient, je me trouvai en vue de la mélancolique
Maison Usher. Je ne sais comment cela se fit, mais, au
premier coup d'œil que je jetai sur le bâtiment, un
sentiment d'insupportable tristesse pénétra mon âme.

Je regardais le tableau placé devant moi, et, rien qu'à
voir la maison et la perspective caractéristique de ce
domaine, – les murs qui avaient froid, les fenêtres
semblables à des yeux distraits, quelques bouquets de
joncs vigoureux, quelques troncs d'arbres blancs et

dépéris –, j'éprouvais un abattement, un malaise, une sorte de tristesse.

Qu'était donc ce je ne sais quoi qui m'énervait ainsi en contemplant la Maison Usher ? C'était un mystère tout à fait insoluble, et je ne pouvais pas lutter contre les pensées ténébreuses qui s'amoncelaient sur moi pendant que j'y réfléchissais.

Je conduisis mon cheval vers le bord escarpé d'un noir et lugubre étang, qui, miroir immobile, s'étalait devant le bâtiment ; et je regardai, avec un frisson plus pénétrant encore que la première fois, les images répercutées et renversées des joncs grisâtres, des troncs d'arbres sinistres, et des fenêtres semblables à des yeux sans pensée.

C'était néanmoins dans cet habitacle de mélancolie que je me proposais de séjourner pendant quelques semaines. Son propriétaire, Roderick Usher, avait été l'un de mes bons camarades d'enfance ; mais plusieurs années s'étaient écoulées depuis notre dernière entrevue. Une lettre de lui cependant m'était parvenue récemment dont la tournure follement pressante n'admettait pas d'autre réponse que ma présence même. L'écriture portait la trace d'une agitation nerveuse. L'auteur de cette lettre me parlait d'une maladie physique aiguë, et d'un ardent désir de me voir, comme étant son meilleur et véritablement son seul ami, espérant trouver dans la joie de ma présence quelque soulagement à son mal. Le ton dans lequel toutes ces choses et bien d'autres encore étaient dites ne me permettait pas l'hésitation ; en conséquence, j'obéis immédiatement à ce que je considérais toutefois comme une invitation des plus singulières.

Quoique dans notre enfance nous eussions été camarades intimes, en réalité, je ne savais pourtant que fort peu de choses de mon ami. Je savais toutefois qu'il appartenait à une famille très ancienne, qui s'était distinguée depuis un temps immémorial par une grande fragilité de tempérament. J'avais appris aussi ce fait très remarquable que la souche de la race d'Usher, si glorieusement ancienne qu'elle fût, n'avait jamais, à aucune époque, poussé de branche durable ; en d'autres termes, que la famille entière ne s'était perpétuée qu'en ligne directe, à quelques exceptions près, très insignifiantes et très passagères. C'était peut-être cette absence de branche collatérale et la transmission constante de père en fils du patrimoine et du nom, qui avaient à la longue si bien identifié les deux, que le nom primitif du domaine s'était fondu dans la bizarre et équivoque appellation de Maison Usher, appellation usitée parmi les paysans, et qui semblait, dans leur esprit, enfermer la famille et l'habitation de famille.

Quand mes yeux, laissant l'image dans l'étang, se relevèrent vers la maison elle-même, une étrange idée me poussa dans l'esprit : mon imagination avait si bien travaillé que je croyais réellement qu'autour de l'habitation et du domaine planait une atmosphère qui lui était particulière, ainsi qu'aux environs les plus proches, une atmosphère qui s'exhalait des arbres dépéris, des murailles grisâtres et de l'étang silencieux, une vapeur mystérieuse et pestilentielle, à peine visible, lourde, paresseuse et d'une couleur plombée.

Je secouai de mon esprit ce qui ne pouvait être qu'un rêve, et j'examinai avec plus d'attention l'aspect du bâtiment. Son caractère dominant semblait être celui d'une excessive antiquité. La décoloration produite par les siècles était grande. Çà et là, des mousses tapissaient la façade, à partir du toit, comme une fine étoffe curieusement brodée. Mais tout cela n'impliquait aucune détérioration extraordinaire. Aucune partie de la maçonnerie n'était tombée, et l'édifice ne donnait aucun symptôme de fragilité. Peut-être l'œil d'un observateur minutieux aurait-il découvert une fissure à peine visible, qui, partant du toit de la façade, se frayait une route en zigzag à travers le mur et allait se perdre dans les eaux funestes de l'étang.

Tout en remarquant ces détails, je suivis à cheval une courte chaussée qui me menait à la maison. Un valet de chambre prit mon cheval, et j'entrai sous la voûte gothique du vestibule. Un domestique, au pas furtif, me conduisit en silence à travers maints passages obscurs et compliqués vers le cabinet de son maître. Bien des choses que je rencontrai dans cette promenade contribuèrent, je ne sais comment, à renforcer les sensations vagues dont j'ai déjà parlé. Les objets qui m'entouraient, les sculptures des plafonds, les sombres tapisseries des murs, la noirceur d'ébène des parquets et les fantasmagoriques trophées armoriaux qui bruissaient, ébranlés par ma marche précipitée, augmentaient mon malaise. Sur l'un des escaliers, je rencontrai le médecin de la famille. Sa physionomie, à ce qu'il me sembla, portait une expression mêlée de roublardise et de perplexité. Il me croisa précipitamment et passa. Le domestique ouvrit alors une porte et m'introduisit en présence de son maître.

La chambre dans laquelle je me trouvais était très grande et très haute ; les fenêtres, longues, étroites, et à une telle distance du noir plancher de chêne qu'il était absolument impossible de les atteindre. De faibles rayons d'une lumière cramoisie se frayaient un chemin à travers les carreaux, et rendaient suffisamment distincts les principaux objets environnants ; l'œil néanmoins s'efforçait en vain d'atteindre les angles lointains de la chambre ou les enfoncements du plafond arrondi en voûte et sculpté. De sombres draperies tapissaient les murs. L'ameublement général était extravagant, incommode, antique et délabré. Je sentais que je respirais une atmosphère de chagrin. Un air de mélancolie âpre, profonde, incurable, planait sur tout et pénétrait tout.

À mon entrée, Usher se leva d'un canapé sur lequel il était couché de tout son long et m'accueillit avec une chaleureuse vivacité. Nous nous assîmes, et pendant quelques moments, comme il restait muet, je le contemplai avec un sentiment moitié de pitié et moitié d'effroi. À coup sûr, jamais homme n'avait aussi terriblement changé, et en aussi peu de temps, que Roderick Usher ! Ce n'était qu'avec peine que je pus reconnaître en lui le compagnon de mes premières années. Le caractère de sa physionomie avait toujours été remarquable. Un teint cadavéreux, un œil large, liquide et lumineux, des lèvres un peu minces et très pâles, mais d'une courbe merveilleusement belle, un menton d'un modèle charmant, mais qui, par un manque de saillie, trahissait un manque d'énergie morale, des cheveux doux et très fins sur un front immense, lui faisaient une physionomie qu'il n'est pas facile d'oublier. Mais actuellement, il y avait un tel changement que je doutais de l'homme à qui je parlais. La pâleur maintenant spectrale de la peau et l'éclat maintenant miraculeux de l'œil me saisissaient particulièrement et même m'épouvantaient. Puis il avait laissé croître indéfiniment ses cheveux sans s'en apercevoir.

Je fus tout d'abord frappé d'une certaine incohérence, dans les manières de mon ami, et je découvris bientôt que cela provenait d'un effort incessant pour maîtriser une excessive agitation nerveuse. Sa voix passait rapidement d'une indécision tremblante à cette espèce de brièveté énergique, à ce parler guttural et rude, qu'on peut observer chez le parfait ivrogne ou l'incorrigible mangeur d'opium pendant les périodes de leur plus intense excitation.

Ce fut dans ce ton qu'il parla de l'objet de ma visite, de son ardent désir de me voir, et de la consolation qu'il attendait de moi. Il s'étendit assez longuement et s'expliqua à sa manière sur le caractère de sa maladie.

C'était, disait-il, un mal de famille, un mal pour lequel il désespérait de trouver un remède, une simple affection nerveuse, ajouta-t-il immédiatement, dont, sans doute, il serait bientôt délivré. Elle se manifestait par une foule de sensations surnaturelles. Il souffrait vivement d'une trop grande sensibilité des sens ; les aliments les plus simples étaient pour lui les seuls tolérables ; il ne pouvait porter, en fait de vêtements, que certains tissus ; toutes les odeurs de fleurs le suffoquaient ; une lumière, même faible, lui torturait les yeux ; et il n'y avait que quelques sons particuliers, c'est-à-dire ceux des instruments à corde, qu'il pouvait supporter.

Je vis qu'il était en proie à une espèce de terreur tout à fait anormale.

— Je mourrai, dit-il, il faut que je meure de cette déplorable folie. C'est ainsi, ainsi et non pas autrement, que je périrai. Je sens que tôt ou tard le moment viendra où la vie et la raison m'abandonneront à la fois, dans quelque lutte inégale avec le sinistre fantôme, – LA PEUR !

J'appris ainsi, par intervalles, et par des confidences hachées, qu'il était dominé par certaines impressions superstitieuses relatives au manoir qu'il habitait, et d'où il n'avait pas osé sortir depuis plusieurs années, impressions suggérées par les murs gris, les tourelles et l'étang noirâtre où se mirait tout le bâtiment.

Il admettait toutefois, mais non sans hésitation, qu'une bonne part de la mélancolie singulière dont il était affligé pouvait être attribuée à une origine plus naturelle et beaucoup plus compréhensible : à la maladie cruelle et donc à la mort évidemment prochaine d'une sœur tendrement aimée, sa seule compagnie depuis de longues années, sa dernière et sa seule parente sur la terre.

— Sa mort, dit-il, avec une amertume que je n'oublierai jamais, me laissera, moi, le frêle et le désespéré, dernier de l'antique race des Usher.

Pendant qu'il parlait, lady Madeline (c'est ainsi qu'elle se nommait) passa lentement dans une partie reculée de la chambre, et disparut sans avoir pris garde à ma présence. Je la regardai avec un immense étonnement, où se mêlait quelque terreur. Une sensation de stupeur m'oppressait, pendant que mes yeux suivaient ses pas qui s'éloignaient. Lorsque enfin une porte se fut fermée sur elle, mon regard chercha instinctivement et curieusement la physionomie de son frère ; mais il avait plongé sa face dans ses mains, et je pus voir seulement qu'une pâleur plus qu'ordinaire s'était répandue sur les doigts amaigris, à travers lesquels filtrait une pluie de larmes passionnées.

La maladie de lady Madeline restait une énigme pour ses médecins. Une apathie fixe, un épuisement graduel de sa personne, et des crises fréquentes, quoique passagères, d'un caractère cataleptique, pendant lesquelles son corps prenait l'apparence et la froideur de la mort, en étaient les diagnostics très singuliers. Jusque-là, elle avait bravement porté le poids de la maladie et ne s'était pas encore résignée à se mettre au lit ; mais, sur la fin du soir de mon arrivée au château, elle cédait – comme son frère me le dit dans la nuit avec une inexprimable agitation – sous l'avancée de la maladie, et j'appris que le coup d'œil que j'avais jeté sur elle serait probablement le dernier, que je ne verrais plus la dame, vivante du moins.

Pendant les quelques jours qui suivirent, son nom ne fut prononcé ni par Usher ni par moi ; et durant cette période je m'épuisai en efforts pour alléger la mélancolie de mon ami. Nous peignîmes et nous lûmes ensemble ; ou bien j'écoutais, comme dans un rêve, ses étranges improvisations sur son éloquente guitare. Et ainsi, à mesure qu'il me faisait entrevoir les profondeurs de son âme, je reconnaissais plus amèrement la vanité de tous mes efforts pour lui redonner un peu de joie.

Je garderai toujours le souvenir de maintes heures solennelles que j'ai passées seul avec le maître de la Maison Usher. Mais les mots seront toujours impuissants pour restituer le climat d'étrangeté qui entourait ces moments. Sa mélancolie excessive, morbide, projetait sur toutes choses une irradiation de ténèbres.

Les livres, qui depuis des années constituaient une grande partie de l'existence spirituelle du malade, étaient, comme on le suppose bien, en accord parfait avec ce caractère de visionnaire. Nous analysions ensemble des ouvrages ésotériques, de magie, de sorcellerie et de superstitions religieuses. Usher faisait néanmoins ses principales délices de la lecture d'un petit volume gothique excessivement rare et curieux, un manuel de rites funéraires d'une église oubliée.

Je songeais malgré moi à l'étrange rituel contenu dans ce livre et à son influence probable sur mon infortuné ami, quand, un soir, m'ayant informé brusquement que lady Madeline n'existait plus, il annonça l'intention de conserver le corps pendant une quinzaine de jours, en attendant l'enterrement définitif, dans un des nombreux caveaux situés sous les gros murs du château. La raison humaine qu'il donnait de cette singulière manière d'agir était une de ces raisons que je ne me sentais pas le droit de contredire. Comme frère, me disait-il, il avait pris cette résolution en considération du caractère insolite de la maladie de la défunte, d'une certaine curiosité importune et indiscrète de la part des hommes de science, et de la situation éloignée et fort exposée du caveau de famille. J'avouerai que, quand je me rappelai la physionomie sinistre de l'individu que j'avais rencontré sur l'escalier, le soir de mon arrivée au château, je n'eus pas envie de m'opposer à ce que je regardais comme une précaution bien innocente, sans doute, mais certainement fort naturelle.

À la prière d'Usher, je l'aidai personnellement dans les

préparatifs de cette sépulture temporaire. Nous mîmes le corps dans la bière, et, à nous deux, nous le portâmes à son lieu de repos. Le caveau dans lequel nous le déposâmes était resté fermé depuis si longtemps que nos torches, à moitié étouffées dans cette atmosphère suffocante, ne nous permettaient guère d'examiner les lieux. Il était petit, humide, et n'offrait aucune voie à la lumière du jour ; il était situé, à une grande profondeur, juste au-dessous de cette partie du bâtiment où se trouvait ma chambre à coucher. Il avait rempli probablement, dans les vieux temps féodaux, l'horrible office d'oubliettes, et, dans les temps postérieurs, de cave à serrer la poudre ou toute autre matière facilement inflammable ; car une partie du sol et toutes les parois d'un long vestibule que nous traversâmes pour y arriver étaient soigneusement revêtues de cuivre. La porte, de fer massif, avait été l'objet des mêmes précautions. Quand ce poids immense roulait sur ses gonds, il rendait un son singulièrement aigu et discordant.

Nous déposâmes donc notre fardeau funèbre sur des tréteaux dans cet endroit horrible ; nous tournâmes un peu de côté le couvercle de la bière qui n'était pas encore vissé, et nous regardâmes la face du cadavre. Une ressemblance frappante entre le frère et la sœur fixa tout d'abord mon attention ; et Usher, devinant peut-être mes pensées, murmura quelques paroles qui m'apprirent que la défunte et lui étaient jumeaux, et que des sympathies d'une nature presque inexplicable avaient toujours existé entre eux. Nos regards, néanmoins, ne restèrent pas longtemps fixés sur la morte, car nous ne pouvions pas la contempler sans effroi. Le mal qui avait mis au tombeau lady Madeline dans la plénitude de sa jeunesse avait laissé l'ironie d'une faible coloration sur le sein et sur la face, et sur la lèvre ce sourire équivoque et languissant qui est si terrible dans la mort. Nous replaçâmes et nous vissâmes le couvercle, et, après avoir renfermé la porte de fer, nous reprîmes avec lassitude notre chemin vers les appartements supérieurs, qui n'étaient guère moins mélancoliques.

Et alors, après un laps de quelques jours pleins du chagrin le plus amer, il s'opéra un changement visible dans les symptômes de la maladie morale de mon ami. Ses manières ordinaires avaient disparu. Ses occupations habituelles étaient négligées, oubliées. Il errait de chambre en chambre d'un pas précipité, inégal, et sans but. La pâleur de sa physionomie avait revêtu une couleur peut-être encore plus spectrale ; mais la singulière clarté de son œil avait entièrement disparu. Un tremblement qu'on eût dit causé par une extrême terreur caractérisait sa prononciation. Il m'arrivait quelquefois de me figurer que son esprit, incessamment agité, était travaillé par quelque suffocant secret, et qu'il ne pouvait trouver le courage nécessaire pour le révéler. D'autres fois, j'étais obligé de conclure simplement aux bizarreries inexplicables de la folie ; car je le voyais regardant dans le vide pendant de longues heures, dans l'attitude de la plus profonde attention, comme s'il écoutait un bruit imaginaire. Il ne faut pas s'étonner que son état m'effrayât. Je sentais se glisser en moi, par une progression lente mais sûre, l'étrange influence de ses superstitions fantastiques et contagieuses.

Ce fut particulièrement une nuit, la septième ou la huitième depuis que nous avions déposé lady Madeline dans le caveau, fort tard, avant de me mettre au lit, que j'éprouvai ces sensations à leur paroxysme. Le sommeil me fuyait; les heures, une à une, tombaient, tombaient toujours. Je m'efforçai de raisonner l'agitation nerveuse qui me dominait. J'essayai de me persuader que ces sentiments étaient dus à l'influence du mélancolique ameublement de la chambre, des sombres draperies déchirées, qui, tourmentées par le souffle d'un orage naissant, vacillaient çà et là sur les murs et bruissaient douloureusement autour des ornements du lit.

Mais mes efforts furent vains. Une insurmontable terreur pénétra graduellement tout mon être; et à la longue une angoisse sans motif, un vrai cauchemar, vint m'oppresser. Je respirai violemment, je fis un effort, je parvins à me secouer; et, me soulevant sur les oreillers, et plongeant ardemment mon regard dans l'épaisse obscurité de la chambre, je prêtai l'oreille à certains sons bas et vagues qui partaient je ne sais d'où, et qui m'arrivaient à de longs intervalles, à travers les accalmies de la tempête. Dominé par une sensation intense d'horreur, inexplicable et intolérable, je mis mes habits à la hâte, car je sentais que je ne pourrais pas dormir de la nuit, et je m'efforçai, en marchant çà et là à grands pas dans la chambre, de sortir de l'état déplorable dans lequel j'étais tombé.

J'avais à peine fait ainsi quelques tours, quand un pas léger sur un escalier voisin arrêta mon attention. Je reconnus bientôt que c'était le pas d'Usher. Une seconde après, il frappa doucement à ma porte, et entra, une lampe à la main. Sa physionomie était, comme d'habitude, d'une pâleur cadavéreuse, mais il y avait en outre dans ses yeux je ne sais quelle hilarité insensée, et dans toutes ses manières une espèce d'hystérie contenue. Son air m'épouvanta ; mais tout était préférable à la solitude que j'avais endurée si longtemps, et j'accueillis sa présence comme un soulagement.

— Avez-vous vu cela ? dit-il brusquement, après quelques minutes de silence, et ayant soigneusement abrité sa lampe, il se précipita vers une des fenêtres, et l'ouvrit toute grande à la tempête.

L'impétueuse furie de la rafale nous enleva presque du sol. C'était vraiment une nuit d'orage affreusement belle, une nuit unique et étrange dans son horreur et sa beauté. Un tourbillon s'était probablement concentré dans notre voisinage ; car il y avait des changements fréquents et violents dans la direction du vent, et les nuages, maintenant descendus si bas qu'ils pesaient presque sur les tourelles du château, ne nous empêchaient pas d'apprécier la rapidité avec laquelle ils accouraient l'un contre l'autre de tous les points de l'horizon, au lieu de se perdre dans l'espace.

— Vous ne devez pas voir cela ! Vous ne contemplerez pas cela ! dis-je en frissonnant à Usher ; et je le ramenai avec une douce violence de la fenêtre vers un fauteuil. Ces spectacles qui vous mettent hors de vous sont des phénomènes purement électriques et fort ordinaires. Fermons cette fenêtre ; l'air est glacé et dangereux pour votre constitution. Voici un de vos romans favoris. Je lirai, et vous écouterez ; et nous passerons ainsi cette terrible nuit ensemble.

L'antique bouquin sur lequel j'avais mis la main était le *Mad Trist*, de sir Launcelot Canning ; et je me berçais du vague espoir que l'agitation qui tourmentait mon ami trouverait du soulagement dans l'exagération même des folies que j'allais lui lire. À en juger par l'air d'intérêt étrangement tendu avec lequel il écoutait ou feignait d'écouter les phrases du récit, j'aurais pu me féliciter du succès de ma ruse.

J'étais arrivé à cette partie si connue de l'histoire où Ethelred, le héros du livre, ayant en vain cherché à entrer à l'amiable dans la demeure d'un ermite, se met en devoir de s'introduire par la force. Ici, on s'en souvient, le narrateur s'exprime ainsi :

« *Et Ethelred, qui était par nature un cœur vaillant, et qui maintenant était aussi très fort, en raison de l'efficacité du vin qu'il avait bu, n'attendit pas plus longtemps pour parlementer avec l'ermite, qui avait, en vérité, l'esprit tourné à l'obstination et à la malice, mais sentant la pluie sur ses épaules et craignant l'explosion de la tempête, il leva bel et bien sa massue, et avec quelques coups fraya bien vite un chemin, à travers les planches de la porte, à sa main gantée de fer ; et, tirant avec sa main vigoureusement à lui, il fit craquer, et se fendre, et sauter le tout en morceaux, si bien que le bruit du bois sec et sonnant le creux porta l'alarme et fut répercuté d'un bout à l'autre de la forêt. »*

À la fin de cette phrase, je tressaillis et je fis une pause ; car il m'avait semblé – mais je conclus bien vite à une illusion de mon imagination –, il m'avait semblé que d'une partie très reculée du manoir était venu confusément à mon oreille un bruit, qu'on eût dit, à cause de son exacte ressemblance, l'écho étouffé, amorti, de ce bruit de craquement et d'arrachement si précieusement décrit par sir Launcelot. Évidemment, c'était la coïncidence seule qui avait arrêté mon attention, car, parmi le claquement des châssis des fenêtres et tous les bruits confus de la tempête toujours croissante, le son en lui-même n'avait rien vraiment qui pût m'intriguer ou me troubler. Je continuai le récit :

« Mais Ethelred, le solide champion, passant alors la porte, fut grandement furieux et émerveillé de n'apercevoir aucune trace du malicieux ermite, mais en son lieu et place un dragon d'une apparence monstrueuse et écailleuse, avec une langue de feu, qui se tenait en sentinelle devant un palais d'or, dont le

plancher était d'argent ; et sur le mur était suspendu un bouclier d'airain brillant, avec cette légende gravée dessus :

Celui-là qui entre ici a été le vainqueur ;
Celui-là qui tue le dragon, il aura gagné le bouclier.

Et Ethelred leva sa massue et frappa sur la tête du dragon, qui tomba devant lui et rendit son souffle empesté avec un rugissement si épouvantable, si âpre et si perçant à la fois, qu'Ethelred fut obligé de se boucher les oreilles avec ses mains, pour se garantir de ce bruit terrible, tel qu'il n'en avait jamais entendu de semblable. »

Ici je fis brusquement une nouvelle pause, et cette fois avec un sentiment de violent étonnement, car il n'y avait pas lieu à douter que je n'eusse réellement entendu (dans quelle direction, il m'était impossible de le deviner) un son affaibli et comme lointain, mais âpre, prolongé, singulièrement perçant et grimaçant, l'exacte contre-partie du cri surnaturel du dragon décrit par le romancier, et tel que mon imagination se l'était déjà figuré.

Oppressé, comme je l'étais évidemment lors de cette seconde et très extraordinaire coïncidence, par un étonnement et une frayeur extrêmes, je gardai néanmoins assez de présence d'esprit pour éviter d'exciter par une observation quelconque la sensibilité nerveuse de mon camarade. Je n'étais pas du tout sûr qu'il eût remarqué les bruits en question, quoique bien certainement un étrange changement se fût depuis ces dernières minutes manifesté dans son attitude. Je ne pouvais pas voir ses traits d'ensemble, quoique je m'aperçusse bien que ses lèvres tremblaient comme si elles murmuraient quelque chose d'insaisissable. Sa tête était tombée sur sa poitrine ; cependant, je savais qu'il n'était pas endormi, l'œil que j'entrevoyais de profil était béant et fixe. D'ailleurs, le mouvement de son corps contredisait aussi cette idée, car il se balançait d'un côté à l'autre avec un mouvement très doux, mais constant et uniforme. Je remarquai rapidement tout cela, et je repris le récit de sir Launcelot, qui continuait ainsi :

« *Et maintenant, le brave champion, ayant échappé à la terrible furie du dragon, se souvenant du bouclier d'airain, et que l'enchantement qui était dessus était rompu, écarta le cadavre de devant son chemin et s'avança courageusement, sur le pavé d'argent du château, vers l'endroit du mur où pendait le bouclier, lequel, en vérité, n'attendit pas qu'il fût arrivé tout auprès, mais tomba à ses pieds sur le pavé d'argent avec un puissant et terrible retentissement.* »

À peine ces dernières syllabes avaient-elles fui mes lèvres, que, comme si un bouclier d'airain était pesamment tombé, en ce moment même, sur un plancher d'argent, j'en entendis l'écho distinct, profond, métallique, retentissant, mais comme assourdi. J'étais complètement énervé ; je sautai sur mes pieds ; mais

Usher n'avait pas interrompu son balancement régulier. Je me précipitai vers le fauteuil où il était toujours assis. Ses yeux étaient braqués droit devant lui, et toute sa physionomie était tendue par une rigidité de pierre. Mais, quand je posai la main sur son épaule, un violent frisson parcourut tout son être, un sourire malsain trembla sur ses lèvres, et je vis qu'il parlait bas, très bas, un murmure précipité et inarticulé, comme s'il n'avait pas conscience de ma présence. Je me penchai tout à fait contre lui, et enfin je dévorai l'horrible signification de ses paroles :

— Vous n'entendez pas ? Moi, j'entends, et j'ai entendu pendant longtemps, longtemps, bien longtemps, bien des minutes, bien des heures, bien des jours, j'ai entendu, mais je n'osais pas, oh ! pitié pour moi, misérable infortuné que je suis ! Je n'osais pas, je n'osais pas parler ! Nous l'avons mise vivante dans la tombe ! Ne vous ai-je pas dit que mes sens étaient très fins ? Je vous dis maintenant que j'ai entendu ses premiers faibles mouvements dans le fond de la bière. Je les ai entendus, il y a déjà bien des jours, bien des jours, mais je n'osais pas, je n'osais pas parler ! Et maintenant, cette nuit, Ethelred, ha ! ha ! la porte de l'ermite enfoncée, et le râle du dragon, et le retentissement du bouclier ! Dites plutôt le bris de sa bière, et le grincement des gonds de fer de sa prison, et son affreuse lutte dans le vestibule de cuivre ! Oh ! où fuir ? Ne sera-t-elle pas ici tout à l'heure ? N'arrive-t-elle pas pour me reprocher ma précipitation ? N'ai-je pas entendu son pas sur l'escalier ? Est-ce que je ne distingue pas l'horrible et lourd battement de son cœur ? Insensé !

Ici, il se dressa furieusement sur ses pieds, et hurla ces syllabes, comme si dans cet effort suprême il rendait son âme :

— Insensé ! Je vous dis qu'elle est maintenant derrière la porte !

À l'instant même, comme si l'énergie surhumaine de sa parole eût acquis la toute-puissance d'un charme, la vaste et antique porte que désignait Usher entrouvrit lentement ses lourds panneaux d'ébène. C'était l'œuvre d'un furieux coup de vent, mais derrière cette porte se tenait alors la haute figure de lady Madeline Usher, enveloppée de son suaire. Il y avait du sang sur ses vêtements blancs, et toute sa personne amaigrie portait les traces évidentes de quelque horrible lutte. Pendant un moment, elle resta tremblante et vacillante sur le seuil ; puis, avec un cri plaintif et profond, elle tomba lourdement en avant sur son frère, et, dans sa violente et définitive agonie, elle l'entraîna à terre, cadavre maintenant et victime de ses terreurs anticipées.

Je m'enfuis de cette chambre et de ce manoir, frappé d'horreur. La tempête était encore dans toute sa rage quand je franchissais la vieille avenue. Tout d'un coup, une lumière étrange se projeta sur la route, et je me retournai pour voir d'où pouvait jaillir une lueur si singulière, car je n'avais derrière moi que le vaste château avec toutes ses ombres. Le rayonnement provenait de la pleine lune qui se couchait, rouge de sang, et maintenant brillait vivement à travers cette fissure à peine visible naguère, qui, comme je l'ai dit, parcourait en zigzag le bâtiment depuis le toit jusqu'à la base. Pendant que je regardais, cette fissure s'élargit rapidement ; il y eut un énorme coup de vent, un tourbillon furieux ; le disque entier de la planète éclata tout à coup à ma vue. La tête me tourna quand je vis les puissantes murailles s'écrouler en deux. Il se fit un bruit prolongé, un fracas tumultueux comme la voix de mille cataractes, et l'étang profond et croupi placé à mes pieds se referma tristement et silencieusement sur les ruines de la Maison Usher.

LE CHAT NOIR

À propos de la très étrange et pourtant très familière histoire que je vais vous raconter, je n'espère même pas être cru. Vraiment, je serais fou de m'y attendre, dans un cas où moi-même j'ai peine à croire ce qui m'est arrivé. Cependant, je ne suis pas fou et très certainement je ne rêve pas. Mais demain je meurs, et aujourd'hui je voudrais décharger mon âme. Je narrai clairement, succinctement et sans commentaires, une série de simples événements. Dans leurs conséquences, ces événements m'ont terrifié, m'ont torturé, m'ont anéanti. Cependant, je n'essaierai pas de les élucider. Plus tard peut-être, quelque intelligence plus calme, plus logique, et beaucoup moins excitable que la mienne, ne trouvera dans les circonstances que je raconte avec terreur qu'une succession ordinaire de causes et d'effets très naturels.

Dès mon enfance, j'étais noté pour la bonté et la gentillesse de mon caractère. J'étais particulièrement fou des animaux, et mes parents m'avaient permis de posséder une grande variété de compagnons à deux ou quatre pattes. Je passais presque tout mon temps avec eux, et je n'étais jamais si heureux que quand je les nourrissais et les caressais. Cette particularité de mon caractère s'accrut avec ma croissance, et, quand je devins homme, j'en fis une de mes principales sources de plaisir. Pour ceux qui ont voué une affection à un chien fidèle, je n'ai pas besoin d'expliquer la nature ou l'intensité du plaisir qu'on peut en tirer. Il y a dans l'amour désintéressé d'une bête, dans ce sacrifice d'elle-même, quelque chose qui va directement au cœur de celui qui a eu fréquemment l'occasion de vérifier la fragilité des amitiés humaines.

Je me mariai de bonne heure, et je fus heureux de trouver dans ma femme une disposition pareille à la mienne. Observant mon goût pour ces animaux domestiques, elle ne perdit aucune occasion de me procurer ceux de l'espèce la plus agréable. Nous eûmes des oiseaux, un poisson doré, un beau chien, des lapins, un petit singe et un chat.

Ce dernier était un animal remarquablement fort et beau, entièrement noir, et d'une intelligence merveilleuse. En parlant de son intelligence, ma femme, qui était d'une nature assez superstitieuse, faisait de fréquentes allusions à l'ancienne croyance populaire qui regardait tous les chats noirs comme des sorcières déguisées. Ce n'est pas qu'elle fût toujours sérieuse sur ce point, et, si je mentionne la chose, c'est simplement parce que cela me revient, en ce moment même, à la mémoire.

Pluton – c'était le nom du chat – était mon préféré, mon camarade. Moi seul, je le nourrissais, et il me suivait dans la maison partout où j'allais. Ce n'était même pas sans peine que je parvenais à l'empêcher de me suivre dans les rues.

Notre amitié subsista ainsi plusieurs années, durant lesquelles l'ensemble de mon caractère et de mon tempérament subit une altération radicalement mauvaise à cause de mon penchant pour l'alcool, je rougis de le confesser. Je devins de jour en jour plus morne, plus irritable, plus égoïste. Je me permis d'employer un langage brutal à l'égard de ma femme. À la longue, je lui infligeai même des violences personnelles. Mes pauvres compagnons, naturellement, durent ressentir le changement de mon caractère. Non seulement je les négligeais, mais je les maltraitais. Quant à Pluton, toutefois, j'avais encore pour lui une considération suffisante qui m'empêchait de le malmener, tandis que je n'éprouvais aucun scrupule à maltraiter les lapins, le singe et même le chien, quand, par hasard ou par amitié, ils se jetaient dans mon chemin. Mais j'étais de plus en plus souvent en proie à des crises de boisson, et à la longue Pluton lui-même, qui maintenant se faisait vieux, commença à connaître les effets de mon méchant caractère.

Une nuit, comme je rentrais au logis très ivre, au sortir d'un de mes repaires habituels des faubourgs, je m'imaginai que le chat évitait ma présence. Je le saisis ; mais lui, effrayé de ma violence, il me fit à la main une légère blessure avec les dents. Une fureur de démon s'empara soudainement de moi. Je ne me connus plus, et une méchanceté diabolique, saturée de gin, pénétra chaque fibre de mon être. Je tirai de la poche de mon gilet un canif, je l'ouvris ; je saisis la pauvre bête par la gorge, et, délibérément, je fis sauter un de ses yeux de son orbite ! Je rougis, je brûle, je frissonne en écrivant cette atrocité !

Quand la raison me revint avec le matin, quand les effets de l'alcool se furent dissipés, j'éprouvai un sentiment moitié d'horreur, moitié de remords, pour le crime dont je m'étais rendu coupable ; mais ce sentiment ne dura pas : je me replongeai bien vite dans les excès, et bientôt je noyai dans le vin tout le souvenir de mon action.

Cependant le chat guérit lentement. L'orbite de l'œil perdu présentait, il est vrai, un aspect effrayant, mais il n'en parut plus souffrir désormais. Il allait et venait dans la maison selon son habitude, mais, comme je devais m'y attendre, il fuyait avec une extrême terreur à mon approche. D'abord, je me sentis affligé de cette évidente antipathie de la part d'une créature qui jadis m'avait tant aimé. Mais ce sentiment fit bientôt place à l'irritation. Un matin, de sang-froid, je glissai un nœud coulant autour de son cou, et je le pendis à la branche d'un arbre ; je le pendis avec des larmes plein mes yeux, avec le plus amer remords dans le cœur ; je le pendis, parce que je savais qu'il m'avait aimé, et parce que je sentais qu'il ne m'avait donné aucun sujet de colère ; je le pendis, parce que je savais qu'en faisant ainsi je commettais une faute abominable.

Dans la nuit qui suivit le jour où fut commise cette action cruelle, je fus tiré de mon sommeil par le cri : « Au feu ! » Les rideaux de mon lit étaient en flammes. Toute la maison flambait. Ce ne fut pas sans une grande difficulté que nous échappâmes à l'incendie, ma femme, un domestique, et moi. La destruction fut complète. Toute ma fortune fut engloutie, et je m'abandonnai dès lors au désespoir.

Je ne cherche pas à établir une liaison de cause à effet entre l'atrocité et le désastre, je suis au-dessus de cette faiblesse. Mais je rends compte d'une chaîne de faits, et je ne veux pas négliger un seul anneau. Le jour qui suivit l'incendie, je visitai les ruines. Les murailles étaient tombées, une seule exceptée ; et cette seule exception se trouva être une cloison intérieure, peu épaisse, située à peu près au milieu de la maison, et contre laquelle s'appuyait le chevet de mon lit. La maçonnerie avait ici, en grande partie, résisté à l'action du feu – fait que j'attribuai à ce qu'elle avait été récemment remise à neuf. Autour de ce mur, une foule épaisse était rassemblée, et plusieurs personnes paraissaient en examiner une portion particulière avec une minutieuse et vive attention. Les mots : Étrange ! singulier ! et autres semblables expressions excitèrent ma curiosité. Je m'approchai et je vis, semblable à un bas-relief sculpté sur la surface blanche, la figure d'un gigantesque chat. L'image était rendue avec une exactitude vraiment merveilleuse. Il y avait une corde autour du cou de l'animal.

Tout d'abord, en voyant cette apparition, mon étonnement et ma terreur furent extrêmes. Mais, enfin, la réflexion vint à mon aide. Le chat, je m'en souvenais, avait été pendu dans un jardin adjacent à la maison. Aux cris d'alarme, ce jardin avait été immédiatement envahi par la foule, et l'animal avait dû être détaché de l'arbre par quelqu'un, et jeté dans ma chambre à travers une fenêtre ouverte. Cela avait été fait, sans doute, dans le but de m'arracher au sommeil. La chute des autres murailles avait comprimé l'animal dans le plâtre fraîchement étendu ; la chaux de ce mur, combinée avec les flammes et l'ammoniaque du cadavre, avait ainsi opéré l'image telle que je la voyais.

Quoique je satisfisse ainsi lestement ma raison, sinon tout à fait ma conscience, relativement au fait surprenant que je viens de raconter, il n'en fit pas moins sur mon imagination une impression profonde. Pendant plusieurs mois je ne pus me débarrasser du fantôme du chat ; et durant cette période un sentiment revint dans mon âme, qui ressemblait à du remords.

J'allai jusqu'à déplorer la perte de l'animal, et à chercher autour de moi, dans les cafés mal famés que maintenant je fréquentais habituellement, un autre favori de la même espèce et d'une figure à peu près semblable pour le remplacer.

Une nuit, comme j'étais assis à moitié ivre, dans un repaire plus qu'infâme, mon attention fut soudainement attirée vers un objet noir, reposant sur le haut d'un des immenses tonneaux de gin ou de rhum qui composaient le principal ameublement de la salle. Je m'en approchai et je le touchai avec ma main. C'était un chat noir, un très gros chat, au moins aussi gros que Pluton, lui ressemblant absolument, excepté en un point. Pluton n'avait pas un poil blanc sur tout le corps ; celui-ci portait une éclaboussure large et blanche, mais d'une forme indécise, qui couvrait presque toute la région de la poitrine.

À peine l'eus-je touché qu'il se leva subitement, ronronna fortement, se frotta contre ma main, et parut enchanté de mon attention. C'était donc là la vraie créature dont j'étais en quête. J'offris tout de suite au propriétaire de le lui acheter ; mais cet homme ne le revendiqua pas, ne le connaissait pas, ne l'avait jamais vu auparavant.

Je continuai mes caresses, et, quand je me préparai à retourner chez moi, l'animal se montra disposé à m'accompagner. Je lui permis de le faire ; me baissant de temps à autre, et le caressant en marchant. Quand il fut arrivé à la maison, il s'y trouva comme chez lui et devint tout de suite le grand ami de ma femme.

Pour ma part, je sentis bientôt s'élever en moi une antipathie contre lui. C'était justement le contraire de ce que j'avais espéré ; mais son évidente tendresse pour moi me dégoûtait presque et me fatiguait. Par de lents degrés, ces sentiments de dégoût et d'ennui s'élevèrent jusqu'à l'amertume de la haine. J'évitais la créature ; une certaine sensation de honte et le souvenir de mon premier acte de cruauté m'empêchèrent de la maltraiter. Pendant quelques semaines, je m'abstins de battre le chat ou de le malmener violemment ; mais graduellement, insensiblement, j'en vins à le considérer avec horreur et à fuir son odieuse présence.

Ce qui ajouta sans doute à ma haine contre l'animal fut la découverte que je fis le matin, après l'avoir amené à la maison, que, comme Pluton, lui aussi avait été privé d'un de ses yeux. Cette circonstance, toutefois, ne fit que le rendre plus cher à ma femme, qui, comme je l'ai déjà dit, adorait les animaux.

Néanmoins, l'affection du chat pour moi paraissait s'accroître en raison de mon aversion contre lui. Il suivait mes pas avec une opiniâtreté qu'il serait difficile de faire comprendre au lecteur. Chaque fois que je m'asseyais, il se blottissait sous ma chaise, ou il sautait sur mes genoux, me couvrant de ses affreuses caresses. Si je me levais pour marcher, il se fourrait dans mes jambes et me jetait presque par terre, ou bien, enfonçant ses griffes longues et aiguës dans mes habits, grimpait de cette manière jusqu'à ma poitrine. Dans ces moments-là, quoique je désirasse le tuer d'un bon coup, j'en étais empêché, en partie par le souvenir de mon premier crime, mais surtout par une véritable terreur de la bête.

Je ne connaissais plus la béatitude du repos, ni le jour ni la nuit ! Durant le jour, la créature ne me laissait pas seul un moment ; et, pendant la nuit, à chaque instant, quand je sortais de mes rêves pleins d'une intraduisible angoisse, c'était pour sentir la tiède haleine de la chose sur mon visage, et son immense poids, comme un cauchemar, éternellement posé sur mon coeur.

Sous la pression de pareils tourments, le peu de bon qui restait en moi succomba. De mauvaises pensées m'assaillirent, les plus sombres et les plus mauvaises de toutes les pensées. La tristesse de mon humeur habituelle s'accrut jusqu'à la haine de toutes choses et de toute humanité ; cependant, ma femme, qui ne se plaignait jamais, hélas ! était mon souffre-douleur ordinaire, la plus patiente victime des soudaines, fréquentes et indomptables éruptions d'une furie à laquelle je m'abandonnai dès lors aveuglément.

Un jour, elle m'accompagna pour quelque besogne domestique dans la cave du vieux bâtiment où notre pauvreté nous contraignait d'habiter. Le chat me suivit sur les marches raides de l'escalier, et, m'ayant presque culbuté la tête la première, m'exaspéra jusqu'à la folie. Levant une hache, et oubliant dans ma rage la peur qui jusque-là avait retenu ma main, j'adressai à l'animal un coup qui eût été mortel s'il avait porté comme je le voulais ; mais ce coup fut arrêté par la main de ma femme. Cette intervention m'aiguillonna jusqu'à une rage plus que démoniaque. Je débarrassai mon bras de son étreinte et lui enfonçai ma hache dans le crâne. Elle tomba morte sur la place, sans pousser un gémissement.

Cet horrible meurtre accompli, je me mis immédiatement en mesure de cacher le corps. Je compris que je ne pouvais pas le faire disparaître de la maison, soit de jour, soit de nuit sans courir le danger d'être observé par les voisins. Plusieurs projets traversèrent mon esprit. Un moment j'eus l'idée de couper le cadavre en petits morceaux et de les détruire par le feu. Puis je résolus de creuser une fosse dans le sol de la cave. Puis je pensai à le jeter dans le puits de la cour, puis à l'emballer dans une caisse comme marchandise et à charger un commissionnaire de le porter hors de la maison. Finalement, je m'arrêtai à un moyen que je considérai comme le meilleur de tous. Je me décidai à le murer dans la cave, comme les moines du moyen âge muraient, dit-on, leurs victimes.

La cave était fort bien disposée pour un pareil dessein. Les murs étaient construits négligemment, et avaient été récemment enduits dans toute leur étendue d'un gros plâtre que l'humidité de l'atmosphère avait empêché de durcir. De plus, dans l'un des murs, il y avait une saillie causée par une sorte de cheminée, qui avait été comblée et maçonnée dans le même genre que le reste de la cave. Je ne doutais pas qu'il ne me fût facile de déplacer les briques à cet endroit, d'y introduire le corps, et de murer le tout de la même manière, de sorte qu'aucun œil n'y pût rien découvrir de suspect.

Et je ne fus pas déçu dans mon calcul. À l'aide d'une pince, je délogeai très aisément les briques, et, ayant soigneusement appliqué le corps contre le mur intérieur, je le soutins dans cette position jusqu'à ce que j'eusse rétabli, sans trop de peine, toute la maçonnerie dans son état primitif. M'étant procuré du mortier, du sable et du plâtre avec toutes les précautions imaginables, je préparai un crépi qui ne pouvait pas être distingué de l'ancien, et j'en recouvris très soigneusement le nouveau briquetage. Quand j'eus fini, je vis avec satisfaction que tout était pour le mieux. Le mur ne présentait pas la plus légère trace de dérangement. J'enlevai tous les gravats avec le plus grand soin, j'épluchai pour ainsi dire le sol. Je regardai triomphalement autour de moi et me dis à moi-même : ici, au moins, ma peine n'aura pas été perdue !

Mon premier mouvement fut de chercher la bête qui avait été la cause d'un si grand malheur ; car à la fin, j'avais résolu fermement de la mettre à mort. Si j'avais pu la rencontrer dans ce moment, sa destinée était claire ; mais il semblait que l'animal avait été alarmé par la violence de ma récente colère, et qu'il prenait soin de ne pas se montrer dans l'état actuel de mon humeur. Il est impossible de décrire ou d'imaginer la profonde, la béate sensation de soulagement que l'absence de la détestable créature créa dans mon cœur. Elle ne se présenta pas de toute la nuit, et ainsi ce fut la première bonne nuit, depuis son introduction dans la maison, que je dormis solidement et tranquillement ; oui, je dormis avec le poids de ce meurtre sur l'âme !

Le second et le troisième jour s'écoulèrent, et cependant mon bourreau ne vint pas. Une fois encore je respirai comme un homme libre. Le monstre, dans sa terreur, avait vidé les lieux pour toujours ! Je ne le verrais donc plus jamais ! Mon bonheur était suprême ! La criminalité de ma ténébreuse action ne m'inquiétait que fort peu. On avait bien fait une espèce d'enquête, mais elle s'était satisfaite à bon marché. Une perquisition avait même été ordonnée, mais naturellement on ne pouvait rien découvrir. Je regardais ma tranquillité à venir comme assurée.

Le quatrième jour depuis l'assassinat, une troupe d'agents de police vint inopinément à la maison, et procéda de nouveau à une rigoureuse investigation des lieux. Confiant, néanmoins, dans l'impénétrabilité de la cachette, je n'éprouvai aucun embarras. Les officiers me firent les accompagner dans leur recherche. Ils ne laissèrent pas un coin, pas un angle inexploré. À la fin, pour la troisième ou quatrième fois, ils descendirent dans la cave. Pas un muscle en moi ne tressaillit. Mon cœur battait paisiblement, comme celui d'un homme qui dort dans l'innocence. J'arpentais la cave d'un bout à l'autre ; je croisais mes bras sur ma poitrine, et me promenais çà et là avec aisance. La police était pleinement satisfaite et se préparait à décamper. La jubilation de mon cœur était trop forte pour être réprimée. Je brûlais de dire au moins un mot, rien qu'un mot, en manière de triomphe, et de rendre deux fois plus convaincue leur conviction de mon innocence.

— Gentlemen, dis-je à la fin, comme leur troupe remontait l'escalier, je suis enchanté d'avoir apaisé vos soupçons. Je vous souhaite à tous une bonne santé et un peu plus de courtoisie. Soit dit en passant, gentlemen, voilà une maison singulièrement bien bâtie.

Dans mon désir enragé de dire quelque chose d'un air délibéré, je savais à peine ce que je débitais.

— Je puis dire que c'est une maison admirablement bien construite. Ces murs sont solidement maçonnés !

Et ici, par une bravade frénétique, je frappai fortement avec une canne que j'avais à la main juste sur la partie du briquetage derrière laquelle se tenait le cadavre de l'épouse de mon cœur.

Ah ! qu'au moins Dieu me protège ! À peine l'écho de mes coups était-il tombé dans le silence, qu'une voix me répondit du fond de la tombe ! Une plainte, d'abord voilée et entrecoupée, comme le sanglot d'un enfant, puis bientôt, s'enflant en un cri prolongé, sonore et continu, tout à fait anormal et antihumain, un hurlement, un glapissement, moitié horreur et moitié triomphe, comme il en peut monter seulement de l'Enfer !

Vous dire mes pensées, ce serait folie. Je me sentis défaillir, et je chancelai contre le mur opposé. Pendant un moment, les officiers placés sur les marches restèrent immobiles, stupéfiés par la terreur. Un instant après, une douzaine de bras robustes s'acharnaient sur le mur. Il tomba tout d'une pièce. Le corps, déjà grandement délabré et souillé de sang grumelé, se tenait droit devant les yeux des spectateurs. Sur sa tête, avec la gueule rouge dilatée et l'œil unique flamboyant, était perchée la hideuse bête dont l'astuce m'avait induit à l'assassinat, et dont la voix révélatrice m'avait livré au bourreau. J'avais muré le monstre dans la tombe !

LA BARRIQUE D'AMONTILLADO*

J'avais supporté du mieux que j'avais pu les mille injustices de Fortunato ; mais, quand il en vint à m'insulter, je jurai de me venger. Vous cependant, qui connaissez bien mon caractère, vous ne supposerez pas que j'aie articulé une seule menace. Je devais être vengé ; c'était un point définitivement arrêté ; il fallait pourtant que non seulement ma vengeance soit complète, mais aussi qu'elle reste totalement impunie et que Fortunato ait pleine conscience de l'identité de celui qui l'avait accomplie.

Il faut qu'on sache que je n'avais donné à Fortunato aucune raison de douter de ma bienveillance, ni par mes paroles, ni par mes actions. Je continuai, selon mon

* Vin espagnol très réputé.

61

habitude, à lui sourire en face, et il ne devinait pas que mon sourire désormais ne traduisait que la pensée de son immolation.

Il avait un côté faible, ce Fortunato, bien qu'il fût à tout autre égard un homme à respecter, et même à craindre. Il se faisait gloire d'être connaisseur en vins. À cet égard, je ne différais pas essentiellement de lui ; j'étais moi-même grand amateur de crus italiens, et j'en achetais considérablement toutes les fois que je le pouvais.

Un soir, à la tombée de la nuit, au fort de la folie du carnaval, je rencontrai mon ami. Il m'accosta avec une très chaude cordialité, car il avait beaucoup bu. Mon homme était déguisé. Il portait un vêtement collant, et sa tête était surmontée d'un bonnet conique avec des sonnettes. J'étais si heureux de le voir que je crus que je ne finirais jamais de lui pétrir la main.

Je lui dis :

— Mon cher Fortunato, je vous rencontre à propos. Quelle excellente mine vous avez aujourd'hui ! Mais j'ai reçu une barrique d'amontillado, ou du moins d'un vin qu'on me donne pour tel, et j'ai des doutes.

— Comment, dit-il, de l'amontillado ? Un tonneau ? Pas possible ! Et au milieu du carnaval !

— J'ai des doutes, répliquai-je, et j'ai été assez bête pour payer le prix total de l'amontillado sans vous consulter. On n'a pas pu vous trouver, et je tremblais de manquer une occasion.

— De l'amontillado !

— J'ai des doutes.

— De l'amontillado !

— Et je veux les tirer au clair.

— De l'amontillado !

— Puisque vous êtes invité quelque part, je vais chercher Luchesi. Si quelqu'un a le sens critique, c'est lui. Il me dira...

— Luchesi est incapable de distinguer l'amontillado du xérès.

— Et cependant, il y a des imbéciles qui tiennent que son goût est égal au vôtre.

— Venez, allons !

— Où ?

— À vos caves.

— Mon ami, non ; je ne veux pas abuser de votre bonté. Je vois que vous êtes invité. Luchesi...

— Je ne suis pas invité ; partons !

— Mon ami, non. Ce n'est pas la question de l'invitation, mais c'est le cruel froid dont je m'aperçois que vous souffrez. Les caves sont insupportablement humides ; elles sont tapissées de salpêtre.

— N'importe, allons ! Le froid n'est absolument rien. De l'amontillado ! On s'est moqué de vous. Et, quant à Luchesi, il est incapable de distinguer le xérès de l'amontillado.

En parlant ainsi, Fortunato s'empara de mon bras. Je mis un masque de soie noire, et, m'enveloppant soigneusement d'un manteau, je me laissai traîner par lui jusqu'à mon palais.

Il n'y avait pas de domestiques à la maison ; ils s'étaient cachés pour faire ripaille en l'honneur du carnaval. Je leur avais dit que je ne rentrerais pas avant le matin, et je leur avais donné l'ordre formel de ne pas bouger de la maison. Cet ordre suffisait, je le savais bien, pour qu'ils décampent en toute hâte, tous, jusqu'au dernier, aussitôt que j'aurais tourné le dos.

Je pris deux flambeaux, j'en donnai un à Fortunato, et je le dirigeai, à travers une enfilade de pièces, jusqu'au vestibule qui conduisait aux caves. Je descendis devant lui un long et tortueux escalier, me retournant et lui recommandant de prendre bien garde. Nous atteignîmes enfin les dernières marches, et nous nous trouvâmes ensemble sur le sol humide des catacombes des Montrésors.

La démarche de mon ami était chancelante, et les clochettes de son bonnet cliquetaient à chacune de ses enjambées.

— La barrique d'amontillado ? dit-il.

— C'est plus loin, dis-je ; mais observez cette broderie blanche qui étincelle sur les murs de ce caveau.

Il se retourna vers moi et me regarda dans les yeux avec deux globes vitreux qui distillaient les larmes de l'ivresse.

— Le salpêtre ? demanda-t-il à la fin.

— Le salpêtre, répliquai-je. Depuis combien de temps

avez-vous attrapé cette toux ?

— Euh ! euh ! euh !– euh ! euh ! euh !– euh ! euh ! euh ! – euh !!!

Il fut impossible à mon pauvre ami de répondre avant quelques minutes.

— Ce n'est rien, dit-il enfin.

— Venez, dis-je avec fermeté, allons-nous-en ; votre santé est précieuse. Vous êtes riche, respecté, admiré, aimé ; vous êtes heureux, comme je le fus autrefois ; vous êtes un homme qui laisserait un vide. Pour moi, ce n'est pas la même chose. Allons-nous-en ; vous vous rendrez malade. D'ailleurs, il y a Luchesi...

— Assez, dit-il ; la toux, ce n'est rien. Cela ne me tuera pas. Je ne mourrai pas d'un rhume.

— C'est vrai, c'est vrai, répliquai-je, et en vérité je n'avais pas l'intention de vous alarmer inutilement ; mais vous devriez prendre des précautions. Un coup de ce médoc vous détendra contre l'humidité.

Ici, j'enlevai une bouteille à une longue rangée de ses compagnes qui étaient couchées par terre, et je fis sauter le goulot.

— Buvez, dis-je, en lui présentant le vin.

Il porta la bouteille à ses lèvres, en me regardant du coin de l'œil. Il fit une pause, me salua familièrement (les grelots sonnèrent), et dit :

— Je bois aux défunts qui reposent autour de nous !

— Et moi, à votre longue vie !

Il reprit mon bras, et nous nous remîmes en route.

— Ces caveaux, dit-il, sont très vastes.

— Les Montrésors, répliquai-je, étaient une grande et nombreuse famille.

— J'ai oublié vos armes.

— Un grand pied d'or sur champ d'azur ; le pied écrase un serpent rampant dont les dents s'enfoncent dans le talon.

— Et la devise ?

—*Nemo me impune lacessit.* « Personne ne m'importune impunément ».

— Fort beau ! dit-il.

Le vin étincelait dans ses yeux, et les sonnettes tintaient. Le médoc m'avait aussi échauffé les idées. Nous étions arrivés, à travers des murailles d'ossements empilés, entremêlés de barriques et de bouteilles de vin, aux dernières profondeurs des catacombes. Je m'arrêtai de nouveau, et, cette fois, je pris la liberté de saisir Fortunato par un bras, au-dessus du coude.

— Le salpêtre ! dis-je ; voyez, cela augmente. Il pend comme de la mousse le long des voûtes. Nous sommes sous le lit de la rivière. Les gouttes d'humidité filtrent à travers les ossements. Venez, partons, avant qu'il soit trop tard. Votre toux...

— Ce n'est rien, dit-il, continuons. Mais, d'abord, encore un coup de médoc.

Je cassai un flacon de vin de Graves, et je le lui tendis. Il le vida d'un trait. Ses yeux brillèrent d'un feu ardent. Il se mit à rire, et jeta la bouteille en l'air.

— Allons à l'amontillado, lui dis-je, en lui offrant de nouveau mon bras.

Il s'appuya lourdement dessus. Nous continuâmes notre route à la recherche de l'amontillado. Nous passâmes sous une rangée d'arceaux fort bas ; nous descendîmes ; nous fîmes quelques pas, et, descendant encore, nous arrivâmes à une crypte profonde, où l'impureté de l'air faisait rougir plutôt que briller nos flambeaux.

Tout au fond de cette crypte, on en découvrait une autre moins spacieuse. Ses murs avaient été revêtus avec les débris humains, empilés dans les caves au-dessus de nous, à la manière des grandes catacombes de Paris. Trois côtés de cette seconde crypte étaient encore décorés de cette façon. Du quatrième, les os avaient été arrachés et gisaient confusément sur le sol, formant en un point un tas d'une certaine hauteur. Dans le mur, ainsi mis à nu par le déplacement des os, nous apercevions encore une autre niche, large d'un mètre, profonde d'autant et haute de deux mètres environ. Elle ne semblait pas avoir été construite pour un usage spécial, mais formait simplement l'intervalle entre deux des piliers énormes qui supportaient la voûte des catacombes, et s'appuyait à l'un des murs de granit massif qui délimitaient l'ensemble.

Ce fut en vain que Fortunato, élevant sa torche malade, s'efforça de scruter la profondeur de la niche. La lumière affaiblie ne nous permettait pas d'en apercevoir l'extrémité.

— Avancez, dis-je, c'est là qu'est l'amontillado. Quant à Luchesi...

— C'est un être ignare ! interrompit mon ami, prenant les devants et marchant tout de travers, pendant que je suivais sur ses talons.

En un instant, il avait atteint l'extrémité de la niche, et, trouvant sa marche arrêtée par le roc, il s'arrêta stupidement ébahi. Un moment après, je l'avais enchaîné au granit. Sur la paroi il y avait deux crampons de fer, à la distance d'environ deux pieds l'un de l'autre, dans le sens horizontal. À l'un des deux était suspendue une courte chaîne, à l'autre un cadenas. Ayant jeté la chaîne autour de sa taille, l'assujettir fut une besogne de quelques secondes. Il était top étonné pour résister. Je retirai la clef, et reculai de quelques pas hors de la niche.

— Passez votre main sur le mur, dis-je ; vous ne pouvez pas ne pas sentir le salpêtre. Vraiment, il est très humide. Laissez-moi vous supplier une fois encore de vous en aller. Non ? Alors, il faut positivement que je vous quitte. Mais je vous rendrai d'abord tous les petits soins qui sont en mon pouvoir.

— L'amontillado ! s'écria mon ami, qui n'était pas encore revenu de son étonnement.

— C'est vrai, répliquai-je, l'amontillado.

Tout en prononçant ces mots, j'attaquais la pile d'ossements dont j'ai déjà parlé. Je les jetai de côté, et je découvris bientôt une bonne quantité de moellons et de mortier. Avec ces matériaux, et à l'aide d'une truelle, je commençai activement à murer l'entrée de la niche.

J'avais à peine établi la première assise de ma maçonnerie, que je découvris que l'ivresse de Fortunato était en grande partie dissipée. Le premier indice que j'en eus fut un cri sourd, un gémissement, qui sortit du fond de la niche. Ce n'était pas le cri d'un homme ivre ! Puis il y eut un long silence. Je posai la seconde rangée, puis la troisième, puis la quatrième ; et alors j'entendis les furieuses vibrations de la chaîne. Le bruit dura quelques minutes, pendant lesquelles, pour m'en délecter plus à l'aise, j'interrompis ma besogne et m'accroupis sur les ossements. À la fin, quand le tapage s'apaisa, je repris ma truelle, et j'achevai sans interruption la cinquième, la sixième et la septième rangée. Le mur était alors presque à la hauteur de ma poitrine. Je fis une nouvelle pause, et, élevant les flambeaux au-dessus de la maçonnerie, je jetai quelques faibles rayons sur le personnage inclus.

Une suite de grands cris, de cris aigus, fit soudainement explosion du gosier de la figure enchaînée, et me rejeta pour ainsi dire violemment en arrière. Pendant un instant j'hésitai, je tremblai. Je tirai mon épée, et je commençai à fourrager à travers la niche ; mais un instant de réflexion suffit à me tranquilliser. Je posai la main sur la maçonnerie massive du caveau, et je fus tout à fait rassuré. Je me rapprochai du mur. Je répondis aux hurlements de mon homme. Je leur fis écho et accompagnement, je les surpassai en volume et en force. Voilà comme je fis, et le braillard se tint tranquille.

sentis mal au cœur, sans doute par suite de l'humidité des catacombes. Je me hâtai de mettre fin à ma besogne. Je fis un effort, et j'ajustai la dernière pierre ; je la recouvris de mortier. Contre la nouvelle maçonnerie je rétablis l'ancien rempart d'ossements. Depuis un demi-siècle aucun mortel ne les a dérangés. *In pace requiescat* !

LE MASQUE DE LA MORT ROUGE

La Mort Rouge avait pendant longtemps dépeuplé la contrée. Jamais peste ne fut si fatale, si horrible. C'étaient des douleurs aiguës, un vertige soudain, et puis un suintement abondant par les pores. Des taches pourpres sur le corps, et spécialement sur le visage de la victime, la mettaient au ban de l'humanité, et lui fermaient tout secours et toute sympathie. De la contamination aux premiers symptômes de la maladie, c'était l'affaire d'une demi-heure.

Mais le prince Prospero était heureux, et intrépide, et sagace. Quand ses domaines furent à moitié dépeuplés, il convoqua un millier d'amis vigoureux, choisis parmi les chevaliers et les dames de sa cour, et se fit avec eux une retraite profonde dans une de ses abbayes fortifiées. C'était un vaste et magnifique bâtiment, une création du prince, d'un goût excentrique et cependant grandiose. Un mur épais et haut lui faisait un rempart. Ce mur avait des portes de fer. Les courtisans, une fois entrés, se servirent de fourneaux et de solides marteaux pour souder les verrous. Ils résolurent de se barricader contre les menaces de l'extérieur. L'abbaye fut largement approvisionnée. Grâce à ces précautions, les courtisans pouvaient défier la contagion. Le monde extérieur s'arrangerait comme il pourrait. En attendant, c'était folie de s'affliger ou de penser. Le prince avait pourvu à tous les moyens de plaisir. Il y avait des bouffons, il y avait des improvisateurs, des danseurs, des musiciens, il y avait le beau sous toutes ses formes, il y avait le vin. En dedans, il y avait toutes ces belles choses et la sécurité. Au-dehors, la Mort Rouge.

Ce fut vers la fin du cinquième ou sixième mois de sa retraite, et pendant que le fléau sévissait au-dehors avec le plus de rage, que le prince Prospero gratifia ses mille amis d'un bal masqué de la plus insolite magnificence.

Quel tableau que cette mascarade ! Mais d'abord laissez-moi vous décrire les salles où elle eut lieu. Il y en avait sept – une enfilade impériale. Dans beaucoup de palais, ces séries de salons forment de longues perspectives en ligne droite, quand les battants des portes sont rabattus sur les murs de chaque côté, de sorte que le regard s'enfonce jusqu'au bout sans obstacle. Ici, le cas était fort différent, comme on pouvait s'y attendre de la part du duc et de son goût très vif pour le bizarre. Les salles étaient si irrégulièrement disposées que l'œil n'en pouvait guère contempler plus d'une à la fois. Au bout d'un espace de vingt à trente mètres, il y avait un brusque détour, et à chaque coude un nouvel aspect. À droite et à gauche, au milieu de chaque mur, une haute et étroite fenêtre gothique donnait sur un corridor fermé qui suivait les sinuosités de l'appartement. Chaque fenêtre était faite de verres colorés en harmonie avec le ton dominant dans les décorations de la salle sur laquelle elle s'ouvrait. Celle qui occupait l'extrémité orientale, par exemple, était tendue de bleu, et les fenêtres étaient d'un bleu profond. La seconde pièce était ornée et tendue de pourpre, et les carreaux étaient pourpres. La troisième, entièrement verte, et vertes les fenêtres. La quatrième, décorée d'orange, était éclairée par une fenêtre orangée ; la cinquième, blanche ; la sixième, violette.

La septième salle était rigoureusement ensevelie de tentures de velours noir qui revêtaient tout le plafond et les murs, et retombaient en lourdes nappes sur un tapis de même étoffe et de même couleur. Mais, dans cette chambre seulement, la couleur des fenêtres ne correspondait pas à la décoration. Les carreaux étaient écarlates, d'une couleur intense de sang.

Or, dans aucune des sept salles, à travers les ornements d'or éparpillés à profusion çà et là ou suspendus aux lambris, on ne voyait de lampe ni de candélabre. Ni lampes, ni bougies ; aucune lumière de cette sorte dans cette longue suite de pièces. Mais, dans les corridors qui leur servaient de ceinture, juste en face de chaque fenêtre, se dressait un énorme trépied, avec un brasier éclatant, qui projetait ses rayons à travers les carreaux de couleur et illuminait la salle d'une manière éblouissante. Ainsi se produisaient une multitude d'aspects chatoyants et fantastiques. Mais dans la chambre de l'ouest, la chambre noire, la lumière du brasier qui ruisselait sur les tentures noires à travers les carreaux sanglants était épouvantablement sinistre, et donnait aux physionomies des imprudents qui y entraient un aspect tellement étrange, que bien peu de danseurs se sentaient le courage de mettre les pieds dans son enceinte magique.

C'était aussi dans cette salle que s'élevait, contre le mur de l'ouest, une gigantesque horloge d'ébène. Son pendule se balançait avec un tic-tac sourd, lourd, monotone ; et quand l'aiguille des minutes avait fait le circuit du cadran et que l'heure allait sonner, il s'élevait de la machine un son clair, éclatant, profond et excessivement musical, mais d'une note si particulière, que d'heure en heure, les musiciens de l'orchestre étaient contraints d'interrompre un instant leurs accords pour écouter la musique de l'heure ; les valseurs alors cessaient forcément leurs évolutions ; un trouble momentané courait dans toute la joyeuse compagnie ; et, tant que vibrait le carillon, on remarquait que les plus fous devenaient pâles, et que les plus âgés et les plus calmes passaient leurs mains sur leurs fronts, comme dans une méditation ou une rêverie délirante. Mais quand l'écho s'était tout à fait évanoui, un petit rire nerveux circulait par toute l'assemblée ; les musiciens s'entre-regardaient et souriaient de leurs nerfs et de leur folie, et se juraient tout bas, les uns aux autres, que la prochaine sonnerie ne produirait pas en eux la même émotion ; et puis, après la fuite des soixante minutes qui comprennent les trois mille six cents secondes de l'heure disparue, arrivait une nouvelle sonnerie de la fatale horloge, et c'était le même trouble, le même frisson, les mêmes rêveries.

Mais, en dépit de tout cela, c'était une joyeuse et magnifique fête. Le goût du duc était tout particulier. Il avait un œil sûr à l'endroit des couleurs et des effets. Ses plans étaient téméraires et sauvages, et ses conceptions brillaient d'une splendeur barbare. Il y a des gens qui l'auraient jugé fou. Ses courtisans sentaient bien qu'il ne l'était pas. Mais il fallait l'entendre, le voir, le toucher, pour être sûr qu'il ne l'était pas.

Il avait, à l'occasion de cette grande fête, choisi lui-même en grande partie la décoration mobilière des sept salons, et c'était son goût personnel qui avait commandé le style des déguisements. C'était éblouissant, étincelant ; il y avait de l'étrange et du fantastique, des figures absurdement équipées, incongrûment bâties ; des fantaisies monstrueuses comme la folie ; il y avait du beau, du bizarre en quantité, tant soit peu de terrible, et du dégoûtant à foison. Bref, c'était comme une multitude de rêves qui se pavanaient çà et là dans les sept salons.

Et, de temps en temps, on entend sonner l'horloge d'ébène de la salle de velours. Et alors, pour un moment, tout s'arrête, tout se tait, excepté la voix de l'horloge. Dans la chambre qui est là-bas tout à l'ouest, aucun masque n'ose maintenant s'aventurer ; car la nuit avance, et une lumière plus rouge afflue à travers les carreaux couleur de sang, et la noirceur des draperies funèbres est effrayante ; et à l'étourdi qui met le pied sur le tapis funèbre l'horloge d'ébène envoie un carillon plus lourd, plus solennellement énergique que celui qui frappe les oreilles des masques tourbillonnant dans l'insouciance lointaine des autres salles.

Quant à ces pièces-là, elles fourmillaient de monde, et le cœur de la vie y battait fiévreusement. Et la fête tourbillonnait toujours, lorsque s'éleva enfin le son de minuit de l'horloge. Alors, comme je l'ai dit, la musique s'arrêta, le tournoiement des valseurs fut suspendu ; il se fit partout, comme naguère, une anxieuse immobilité. Mais le timbre de l'horloge avait cette fois douze coups à sonner ; aussi, il se peut bien que plus de pensée se soit glissée dans les méditations de ceux qui pensaient parmi cette foule festoyante. Et ce fut peut-être aussi pour cela que plusieurs personnes parmi cette foule, avant que les derniers échos du dernier coup fussent noyés dans le silence, avaient eu le temps de s'apercevoir de la présence d'un masque qui jusque-là n'avait aucunement attiré l'attention. Et, la nouvelle de cette intrusion s'étant répandue en un chuchotement à la ronde, il s'éleva de toute l'assemblée un bourdonnement, un murmure significatif d'étonnement et de désapprobation, puis, finalement, de terreur, d'horreur et de dégoût.

Dans une réunion de masques telle que je l'ai décrite, il fallait sans doute une apparition bien extraordinaire pour causer une telle sensation. Les possibilités de déguisement étaient, il est vrai, à peu près illimitées ; mais le personnage en question avait franchi les bornes du décorum imposé par le prince.

Toute l'assemblée parut alors sentir profondément le mauvais goût et l'inconvenance de la conduite et du costume de l'étranger. Le personnage était grand et décharné, et enveloppé d'un suaire de la tête aux pieds. Le masque qui cachait le visage représentait si bien la physionomie d'un cadavre raidi, que l'analyse la plus minutieuse aurait difficilement découvert l'artifice. Et cependant, tous ces fous joyeux auraient peut-être supporté cette laide plaisanterie. Mais le masque avait été jusqu'à adopter le type de la Mort Rouge. Son vêtement était barbouillé de sang, ainsi que son large front, et tous les traits de sa face.

Quand les yeux du prince Prospero tombèrent sur cette figure de spectre, qui, d'un mouvement lent, solennel, se promenait çà et là à travers les danseurs, on le vit d'abord convulsé par un violent frisson de terreur ou de dégoût ; mais, une seconde après, son front s'empourpra de rage.

— Qui ose, demanda-t-il, d'une voix enrouée, aux courtisans debout près de lui, qui ose nous insulter par cette ironie de mauvais goût ? Emparez-vous de lui, et démasquez-le, que nous sachions qui nous aurons à pendre aux créneaux, au lever du soleil !

C'était dans la chambre de l'est ou chambre bleue, que se trouvait le prince Prospero, quand il prononça ces paroles. Elles retentirent fortement et clairement à travers les sept salons, car le prince était un homme impérieux et robuste, et la musique s'était tue à un signe de sa main.

C'était dans la chambre bleue que se tenait le prince, avec un groupe de pâles courtisans à ses côtés. D'abord, pendant qu'il parlait, il y eut parmi le groupe un léger mouvement en avant dans la direction de l'intrus, qui fut un instant presque à leur portée, et qui maintenant, d'un pas délibéré et majestueux, se rapprochait de plus en plus du prince. Mais, par suite d'une certaine terreur indéfinissable que l'audace insensée du masque avait inspirée à toute la société, il ne se trouva personne pour lui mettre la main dessus ; si bien que, ne trouvant aucun obstacle, il passa à deux pas de la personne du prince ; et pendant que l'immense assemblée, comme obéissant à un seul mouvement, reculait du centre de la salle vers les murs, il continua sa route sans interruption, de ce même pas solennel et mesuré, de la chambre bleue à la chambre pourpre, de la chambre pourpre à la chambre verte, de la verte à l'orange, de celle-ci à la blanche, et de celle-là à la violette, avant qu'on eût fait un mouvement décisif pour l'arrêter.

Ce fut alors, toutefois, que le prince Prospero, exaspéré par la rage et la honte de sa lâcheté d'une minute, s'élança précipitamment à travers les six chambres, où nul ne le suivit; car une terreur mortelle s'était emparée de tout le monde. Il brandissait un poignard nu, et s'était approché impétueusement à une distance de trois ou quatre pieds du fantôme qui battait en retraite, quand ce dernier, arrivé à l'extrémité de la salle de velours, se retourna brusquement et fit face à celui qui le poursuivait. Un cri aigu partit, et le poignard glissa avec un éclair sur le tapis funèbre où le prince Prospero tombait mort une seconde après.

Alors, invoquant le courage violent du désespoir, une foule de masques se précipita à la fois dans la chambre noire; et, saisissant l'inconnu, qui se tenait, comme une grande statue, droit et immobile dans l'ombre de l'horloge d'ébène, ils se sentirent suffoqués par une terreur sans nom, en voyant que sous le linceul et le masque cadavéreux, qu'ils avaient empoignés avec une si violente énergie, ne logeait aucune forme palpable.

On reconnut alors la présence de la Mort Rouge. Elle était venue comme un voleur de nuit. Et tous les convives tombèrent un à un dans les salles de l'orgie inondées d'une rosée sanglante, et chacun mourut dans la posture désespérée de sa chute.

Et la vie de l'horloge d'ébène disparut avec celle du dernier de ces êtres joyeux. Et les flammes des trépieds expirèrent. Et les Ténèbres, et la Ruine, et la Mort Rouge établirent sur toutes choses leur empire illimité.

HOP-FROG

Je n'ai jamais connu personne qui eût plus d'entrain et qui fût plus porté à la facétie que ce brave roi. Il ne vivait que pour les farces. Raconter une bonne histoire dans le genre bouffon, et la bien raconter, c'était le plus sûr chemin pour arriver à sa faveur. C'est pourquoi ses sept ministres étaient tous gens distingués par leurs talents de farceurs. Ils étaient tous la copie conforme de leur roi : vaste corpulence, adiposité, inimitable aptitude pour la bouffonnerie.

Quant aux raffinements, le roi s'en souciait médiocrement. Les délicatesses l'ennuyaient. Il préférait par-dessus tout les bouffonneries en action, bien davantage que les plaisanteries en paroles.

À l'époque où se passe cette histoire, les bouffons de profession n'étaient pas tout à fait passés de mode à la cour. Quelques-unes des grandes puissances continentales gardaient encore leurs fous ; c'étaient des malheureux, bariolés, ornés de bonnets à sonnettes, et qui devaient être toujours prêts à livrer, à la minute, des bons mots subtils, en échange des miettes qui tombaient de la table royale.

Notre roi, naturellement, avait son fou. Néanmoins, son fou, son bouffon de profession, n'était pas seulement un fou. Sa valeur était triplée aux yeux du roi par le fait qu'il était en même temps nain et boiteux. Dans ce temps-là, les nains étaient à la cour aussi communs que les fous ; et plusieurs monarques auraient trouvé difficile de passer leur temps sans un bouffon pour les faire rire, et un nain pour en rire. Mais, comme je l'ai déjà remarqué, tous ces bouffons, dans quatre-vingt-dix-neuf cas sur cent, sont gras, ronds et massifs, de sorte que c'était pour notre roi une ample source d'orgueil de posséder dans Hop-Frog – c'était le nom du fou – un triple trésor en une seule personne.

Je crois que le nom de Hop-Frog* n'était pas celui dont l'avaient baptisé ses parrains, mais qu'il lui avait été conféré par l'assentiment unanime des sept ministres, en raison de son impuissance à marcher comme les autres hommes. Dans le fait, Hop-Frog ne pouvait se mouvoir qu'avec une sorte d'allure étrange, quelque chose entre le saut et le tortillement, une espèce de mouvement qui était

*de l'anglais : *hop* : sautiller et *frog* : grenouille.

pour le roi une récréation perpétuelle et, naturellement, une jouissance; car, nonobstant la proéminence de sa panse et une bouffissure constitutionnelle de la tête, le roi passait aux yeux de toute sa cour pour un fort bel homme.

Mais bien que Hop-Frog, grâce à la distorsion de ses jambes, ne pût se mouvoir que très laborieusement dans un chemin ou sur un parquet, la prodigieuse puissance musculaire dont la nature avait doué ses bras, comme pour compenser l'imperfection de ses membres inférieurs, le rendait apte à accomplir maints mouvements d'une étonnante dextérité, quand il s'agissait d'arbres, de cordes, ou de quoi que ce soit où l'on pût grimper. Dans ces exercices-là, il avait plutôt l'air d'un écureuil ou d'un petit singe que d'une grenouille.

Je ne saurais dire précisément de quel pays Hop-Frog était originaire. Il venait sans doute de quelque région barbare, dont personne n'avait entendu parler, à une vaste distance de la cour de notre roi. Hop-Frog et une jeune fille un peu moins naine que lui, mais admirablement bien proportionnée et excellente danseuse, avaient été enlevés à leurs foyers respectifs, dans des provinces limitrophes, et envoyés en présent au roi par un de ses généraux victorieux.

Dans de pareilles circonstances, il n'y avait rien d'étonnant à ce qu'une étroite intimité se fût établie entre les deux petits captifs. En réalité, ils devinrent bien vite deux amis jurés. Hop-Frog, qui, bien qu'il se mît en grands frais de bouffonnerie, n'était nullement populaire, ne pouvait pas rendre à Tripetta de grands services ; mais elle, en raison de sa grâce et de son exquise beauté de naine, elle était universellement admirée et choyée ; elle possédait donc beaucoup d'influence et ne manquait jamais d'en user, en toute occasion, au profit de son cher Hop-Frog.

Dans une grande occasion solennelle, le roi résolut de donner un bal masqué ; et, chaque fois qu'une mascarade ou toute autre fête de ce genre avait lieu à la cour, les talents de Hop-Frog et de Tripetta étaient à coup sûr mis en réquisition. Hop-Frog, particulièrement, était si inventif en matière de décorations, de nouveautés et de travestissements pour les bals masqués, qu'il semblait que rien ne pût se faire sans son assistance.

La nuit marquée pour la fête était arrivée. Une salle splendide avait été disposée, sous l'œil de Tripetta, avec toute l'ingéniosité possible pour donner de l'éclat à une mascarade. Toute la cour était dans la fièvre de l'attente. Quant aux costumes et aux rôles, chacun, on le pense bien, avait fait son choix en cette matière. Beaucoup de personnes avaient déterminé les rôles qu'elles adopteraient, une semaine ou même un mois d'avance ; et, en somme, il n'y avait incertitude ni indécision nulle part, excepté chez le roi et ses sept ministres. Pourquoi hésitaient-ils ? Je ne saurais le dire, à moins que ce ne fût encore une manière de farce. Plus vraisemblablement, il leur était difficile d'attraper leur idée, à cause qu'ils étaient si gros ! Quoi qu'il en soit, le temps fuyait, et, comme dernière ressource, ils envoyèrent chercher Tripetta et Hop-Frog.

Quand les deux petits amis obéirent à l'ordre du roi, ils le trouvèrent prenant royalement le vin avec les sept membres de son conseil privé ; mais le monarque semblait de fort mauvaise humeur. Il savait que Hop-Frog craignait le vin ; car cette boisson excitait le pauvre boiteux jusqu'à la folie ; et la folie n'est pas une manière de sentir bien réjouissant. Mais le roi aimait ses propres charges et prenait plaisir à forcer Hop-Frog à boire, et, suivant l'expression royale, à être gai.

— Viens ici, Hop-Frog, dit-il, comme le bouffon et son amie entraient dans la chambre ; avale-moi cette rasade à la santé de vos amis absents (ici Hop-Frog soupira), et sers-toi de ton imagination. Nous avons besoin d'idées de déguisement, de quelque chose de nouveau, d'extraordinaire. Nous sommes fatigués de cette éternelle monotonie. Allons, bois ! Le vin allumera ton génie !

Hop-Frog s'efforça, comme d'habitude, de répondre par un bon mot aux avances du roi ; mais l'effort fut trop grand. C'était justement le jour de naissance du pauvre nain, et l'ordre de boire à ses amis absents fit jaillir les larmes de ses yeux. Quelques larges gouttes amères tombèrent dans la coupe pendant qu'il la recevait horriblement de la main de son tyran.

—Ha ! ha ! ha ! rugit ce dernier, comme le nain

épuisait la coupe avec répugnance, vois ce que peut faire un verre de bon vin ! Eh ! tes yeux brillent déjà !

Pauvre garçon ! Ses larges yeux étincelaient plutôt qu'ils ne brillaient, car l'effet du vin sur son excitable cervelle était aussi puissant qu'instantané. Il plaça nerveusement le gobelet sur la table, et promena sur l'assistance un regard fixe et presque fou. Ils semblaient tous s'amuser prodigieusement du succès de la farce royale.

— Et maintenant, à l'ouvrage ! dit le Premier ministre, un très gros homme.

— Oui, dit le roi ; allons ! Hop-Frog, prête-nous ton assistance. Des travestissements originaux, mon beau garçon ! Nous avons besoin d'idées ! Nous en avons tous besoin ! Ha ! ha ! ha !

Et, comme ceci visait sérieusement au bon mot, ils firent, tous sept, chorus au rire royal. Hop-Frog rit aussi, mais faiblement et d'un rire distrait.

— Allons ! allons ! dit le roi impatienté, ne trouves-tu rien ?

— Je tâche de trouver quelque chose de nouveau, répéta le nain d'un air perdu – car il était tout à fait égaré par le vin.

— Tu tâches ! cria le tyran, férocement. Qu'entends-tu par ce mot ? Ah ! je comprends. Vous boudez, et il vous faut encore du vin. Tiens ! Avale ça ! Et il remplit une nouvelle coupe et la tendit toute pleine au boiteux, qui la regarda et respira, comme essoufflé.

— Bois, te dis-je ! cria le monstre, ou par les démons !...

Le nain hésitait. Le roi devint pourpre de rage. Les courtisans souriaient cruellement. Tripetta, pâle comme un cadavre, s'avança jusqu'au siège du monarque, et, s'agenouillant devant lui, elle le supplia d'épargner son ami.

Le tyran la regarda pendant quelques instants, évidemment stupéfait d'une pareille audace. Il semblait ne savoir que dire ni que faire, ni comment exprimer son indignation d'une manière suffisante. À la fin, sans prononcer une syllabe, il la repoussa violemment loin de lui, et lui jeta à la face le contenu de la coupe pleine jusqu'aux bords.

La pauvre petite se releva du mieux qu'elle put, et, n'osant pas même soupirer, elle reprit sa place au pied de la table.

Il y eut pendant une demi-minute un silence de mort pendant lequel on aurait entendu tomber une plume. Ce silence fut interrompu par une espèce de grincement sourd, mais rauque et prolongé, qui sembla jaillir tout d'un coup de tous les coins de la chambre.

— Pourquoi, pourquoi, pourquoi faites-vous ce bruit ? demanda le roi, se retournant avec fureur vers le nain.

Ce dernier semblait être revenu à peu près de son ivresse, et, regardant fixement, mais avec tranquillité, le tyran en face, il s'écria simplement :

— Moi, moi ? Comment pourrait-ce être moi ?

— Le son m'a semblé venir du dehors, observa l'un des courtisans ; j'imagine que c'est le perroquet, à la fenêtre, qui aiguise son bec aux barreaux de sa cage.

— C'est vrai, répliqua le monarque, comme très soulagé par cette idée ; mais, sur mon honneur de chevalier, j'aurais juré que c'était le grincement des dents de ce misérable.

Là-dessus, le nain se mit à rire (le roi était un farceur trop déterminé pour trouver à redire au rire de qui que ce fût), et déploya une large, puissante et épouvantable rangée de dents. Bien mieux, il déclara qu'il était tout disposé à boire autant de vin qu'on voudrait. Le monarque s'apaisa, et Hop-Frog, ayant absorbé une nouvelle rasade sans le moindre inconvénient, entra tout de suite, et avec chaleur, dans le plan de la mascarade.

— Je ne puis expliquer, observa-t-il fort tranquillement et comme s'il n'avait jamais goûté de vin de sa vie, comment s'est faite cette association d'idées ; mais juste après que Votre Majesté eut frappé la petite et lui eut jeté le vin à la face, juste après que Votre Majesté eut fait cela, et pendant que le perroquet faisait ce singulier bruit derrière la fenêtre, il m'est revenu à l'esprit un merveilleux divertissement ; c'est un des jeux de mon pays, et nous l'introduisons souvent dans nos mascarades ; mais ici il sera absolument nouveau. Malheureusement, ceci demande une société de huit personnes, et...

— Eh ! nous sommes huit ! s'écria le roi, riant de sa

subtile découverte ; huit, juste ! Moi et mes sept ministres. Voyons ! Quel est ce divertissement ?

— Nous appelons cela, dit le boiteux, les Huit Orangs-Outangs Enchaînés, et c'est vraiment un jeu charmant, quand il est bien exécuté.

— Nous l'exécuterons, dit le roi, en se redressant et en abaissant les paupières.

— La beauté du jeu, continua Hop-Frog, consiste dans l'effroi qu'il cause parmi les femmes.

— Excellent ! rugirent en chœur le monarque et son ministère.

— C'est moi qui vous habillerai en orangs-outangs, continua le nain ; fiez-vous à moi pour tout cela. La ressemblance sera si frappante que tous les masques vous prendront pour de véritables bêtes, et, naturellement, ils seront aussi terrifiés qu'étonnés.

— Oh ! c'est ravissant ! s'écria le roi. Hop-Frog ! Nous ferons de toi un homme !

— Les chaînes ont pour but d'augmenter le désordre par leur tintamarre. Vous êtes censés avoir échappé en masse à vos gardiens. Votre Majesté ne peut se figurer l'effet produit, dans un bal masqué, par huit orangs-outangs enchaînés, que la plupart des assistants prennent pour de véritables bêtes, se précipitant avec des cris sauvages à travers une foule d'hommes et de femmes coquettement et somptueusement vêtus. Le contraste n'a pas son pareil.

— Cela sera ! dit le roi ; et le conseil se leva en toute

hâte, car il se faisait tard, pour mettre à exécution le plan de Hop-Frog.

Sa manière d'arranger tout ce monde en orangs-outangs était très simple, mais très suffisante pour son dessein. À l'époque où se passe cette histoire, on voyait rarement des animaux de cette espèce dans les différentes parties du monde civilisé ; et, comme les imitations faites par le nain étaient suffisamment bestiales et plus que suffisamment hideuses, on crut pouvoir se fier à la ressemblance.

Le roi et ses ministres furent d'abord habillés de chemises et de caleçons de tricot collants. Puis on les enduisit de goudron. À cet endroit de l'opération, quelqu'un de la bande suggéra l'idée de plumes ; mais elle fut d'abord rejetée par le nain, qui convainquit bien vite les huit personnages, par une démonstration oculaire, que le poil d'un animal tel que l'orang-outang était bien plus fidèlement représenté par du lin. En conséquence, on en étala une couche épaisse par-dessus la couche de goudron. On se procura alors une longue chaîne. D'abord on la passa autour de la taille du roi, et on l'y assujettit ; puis, autour d'un autre individu de la bande, et on l'y assujettit également ; puis, successive-ment autour de chacun et de la même manière. Quand tout cet arrangement de chaîne fut achevé, en s'écartant l'un de l'autre aussi loin que possible, ils formèrent un cercle ; et, pour achever la vraisemblance, Hop-Frog fit passer le reste de la chaîne à travers le cercle, en deux diamètres à angles droits, d'après la méthode adoptée aujourd'hui par les chasseurs de Bornéo qui prennent des chimpanzés ou d'autres grosses espèces.

La grande salle dans laquelle le bal devait avoir lieu était une pièce circulaire, très élevée, et recevant la lumière du soleil par une fenêtre unique, au plafond. La nuit (c'était le temps où cette salle trouvait sa destination spéciale), elle était principalement éclairée par un vaste lustre, suspendu par une chaîne au centre du châssis, et qui s'élevait ou s'abaissait au moyen d'un contrepoids ordinaire ; mais pour ne pas nuire à l'élégance, ce dernier passait en dehors de la coupole et par-dessus le toit.

La décoration de la salle avait été abandonnée à la surveillance de Tripetta ; mais dans quelques détails, elle avait probablement été guidée par le calme jugement de son ami le nain. C'était d'après son conseil que, pour cette occasion, le lustre avait été enlevé. L'écoulement de la cire, qu'il eût été impossible d'empêcher dans une atmosphère aussi chaude, aurait causé un sérieux dommage aux riches toilettes des invités, qui, vu l'encombrement de la salle, n'auraient pas pu tous éviter le centre, c'est-à-dire la région du lustre. De nouveaux candélabres furent ajustés dans différentes parties de la salle, hors de l'espace rempli par la foule ; et un flambeau, d'où s'échappait un parfum agréable, fut placé dans la main droite de chacune des statues qui s'élevaient contre le mur, au nombre de cinquante ou soixante en tout.

Les huit orangs-outangs, prenant conseil de Hop-Frog, attendirent patiemment, pour faire leur entrée, que la salle fût complètement remplie de masques, c'est-à-dire jusqu'à minuit. Mais l'horloge avait à peine cessé de sonner, qu'ils se précipitèrent ou plutôt qu'ils roulèrent tous en masse, car, empêchés comme ils étaient dans leurs chaînes, quelques-uns tombèrent et tous trébuchèrent en entrant.

La sensation parmi les invités fut prodigieuse et remplit de joie le cœur du roi. Comme on s'y attendait, le nombre des invités fut grand, qui supposèrent que ces êtres de mine féroce étaient de véritables bêtes d'une certaine espèce, sinon précisément des orangs-outangs. Plusieurs femmes s'évanouirent de frayeur ; et, si le roi n'avait pas pris la précaution d'interdire toutes les armes, lui et sa bande auraient pu payer leur plaisanterie de leur sang. Bref, ce fut une déroute générale vers les portes ; mais le roi avait donné l'ordre qu'on les fermât aussitôt après son entrée, et, d'après le conseil du nain, les clefs avaient été remises entre ses mains.

Pendant que le tumulte était à son comble et que chaque masque ne pensait qu'à son propre salut, on aurait pu voir la chaîne qui servait à suspendre le lustre, et qui avait été également retirée, descendre jusqu'à ce que son extrémité recourbée en crochet fût arrivée à un mètre du sol.

Peu d'instants après, le roi et ses sept amis, ayant roulé à travers la salle dans toutes les directions, se trouvèrent enfin au centre et en contact immédiat avec la chaîne. Pendant qu'ils étaient dans cette position, le nain, qui avait toujours marché sur leurs talons, les engageant à prendre garde à la commotion, se saisit de leur chaîne à l'intersection des deux parties diamétrales. Alors, avec la rapidité de la pensée, il y ajusta le crochet qui servait d'ordinaire à suspendre le lustre ; et en un instant, retirée comme par un agent invisible, la chaîne remonta assez haut pour mettre le crochet hors de toute portée, et conséquemment enleva les orangs-outangs tous ensemble, les uns contre les autres, et face à face.

Les invités, pendant ce temps, étaient à peu près revenus de leur alarme ; et, comme ils commençaient à prendre tout cela pour une plaisanterie adroitement concertée, ils poussèrent un immense éclat de rire, en voyant la position des singes.

— Gardez-les-moi ! cria alors Hop-Frog, et sa voix perçante se faisait entendre à travers le tumulte. Gardez-les-moi, je crois que je les connais, moi. Si je peux seulement les bien voir, moi, je vous dirai tout de suite qui ils sont.

Alors, chevauchant des pieds et des mains sur les têtes de la foule, il manœuvra de manière à atteindre le mur ; puis, arrachant un flambeau à l'une des statues, il retourna, comme il était venu, vers le centre de la salle, bondit avec l'agilité d'un singe sur la tête du roi, et grimpa de quelques pieds après la chaîne, abaissant la torche pour examiner le groupe des orangs-outangs, et criant toujours :

— Je découvrirai bien vite qui ils sont !

Et alors, pendant que toute l'assemblée, y compris les singes, se tordait de rire, le bouffon poussa soudainement un sifflement aigu ; la chaîne remonta vivement de dix mètres environ, tirant avec elle les orangs-outangs terrifiés qui se débattaient, et les laissant suspendus en l'air entre le châssis et le plancher. Hop-Frog, cramponné à la chaîne, était remonté avec elle et gardait toujours sa position relativement aux huit masques, rabattant toujours sa torche vers eux, comme s'il s'efforçait de découvrir qui ils pouvaient être.

Toute l'assistance fut tellement stupéfiée par cette ascension, qu'il en résulta un silence profond, d'une minute environ. Mais il fut interrompu par un bruit sourd, une espèce de grincement rauque, comme celui qui avait déjà attiré l'attention du roi et de ses conseillers, quand celui-ci avait jeté le vin à la face de Tripetta. Mais, dans le cas présent, il n'y avait pas lieu de chercher d'où partait le bruit. Il jaillissait des dents du nain, qui faisait grincer ses crocs, comme s'il les broyait dans l'écume de sa bouche, et dardait des yeux étincelant d'une rage folle vers le roi et ses sept compagnons, dont les figures étaient tournées vers lui.

— Ah ! ah ! dit enfin le nain furibond, ah ! ah ! je commence à voir qui sont ces gens-là, maintenant !

Alors, sous prétexte d'examiner le roi de plus près, il approcha le flambeau du vêtement de lin dont celui-ci était revêtu, et qui se fondit instantanément en une nappe de flamme éclatante. En moins d'une demi-minute, les huit orangs-outangs flambaient furieusement, au milieu des cris d'une multitude qui les contemplait d'en bas, frappée d'horreur, et impuissante à leur porter le plus léger secours.

À la longue, les flammes, jaillissant soudainement avec plus de violence, contraignirent le bouffon à grimper plus haut sur sa chaîne, hors de leur atteinte, et, pendant qu'il accomplissait cette manœuvre, la foule retomba, pour un instant encore, dans le silence. Le nain saisit l'occasion, et prit de nouveau la parole :

— Maintenant, dit-il, je vois distinctement de quelle espèce sont ces masques. Je vois un grand roi et ses sept conseillers privés, un roi qui ne se fait pas scrupule de frapper une fille sans défense, et ses sept conseillers qui l'encouragent dans son atrocité. Quant à moi, je suis simplement Hop-Frog le bouffon, et ceci est ma dernière bouffonnerie !

Grâce à l'extrême combustibilité du chanvre et du goudron auquel il était collé, le nain avait à peine fini sa courte harangue que l'œuvre de vengeance était accomplie. Les huit cadavres se balançaient sur leurs chaînes, masse confuse, fétide, hideuse. Le boiteux lança sa torche sur eux, grimpa tout à loisir vers le plafond, et disparut à travers le châssis.

On suppose que Tripetta, en sentinelle sur le toit de la salle, avait servi de complice à son ami dans cette

LE SCARABÉE D'OR

Il y a quelques années, je me liai intimement avec M. William Legrand. Il était d'une ancienne famille protestante, et jadis il avait été riche ; mais une série de malheurs l'avait réduit à la misère. Pour éviter l'humiliation de ses désastres, il quitta la Nouvelle-Orléans, la ville de ses aïeux, et établit sa demeure dans l'île de Sullivan, près de Charleston, en Caroline du Sud.

Cette île est des plus singulières. Elle n'est guère composée que de sable de mer et a environ cinq kilomètres de long. En largeur, elle n'a jamais plus de quatre cents mètres. Elle est séparée du continent par une crique à peine visible, qui filtre à travers une masse de roseaux et de vase, rendez-vous habituel des poules d'eau. La végétation, comme on peut le supposer, est pauvre, ou, pour ainsi dire, naine. On n'y trouve pas d'arbres d'une certaine dimension. Vers l'extrémité occidentale, à l'endroit où s'élèvent le fort Moultrie et quelques misérables bâtisses de bois habitées pendant l'été par les gens qui fuient les poussières et les fièvres de Charleston, on rencontre, il est vrai, quelques palmiers nains ; mais toute l'île, à l'exception de ce point occidental et d'un espace triste et blanchâtre qui borde la mer, est couverte d'épaisses broussailles qui montent souvent à une hauteur de plusieurs mètres ; cela forme un taillis presque impénétrable qui charge l'atmosphère de ses parfums.

Au plus profond de ce taillis, non loin de l'extrémité orientale de l'île, c'est-à-dire de la plus éloignée, Legrand s'était bâti lui-même une petite hutte, qu'il occupait quand, pour la première fois et par hasard, je fis sa connaissance. Cette connaissance mûrit bien vite en amitié, car il y avait dans cet homme de quoi exciter l'intérêt et l'estime. Je vis qu'il avait reçu une forte éducation, heureusement servie par une intelligence peu commune, mais qu'il fuyait la compagnie des hommes et qu'il était sujet à des sautes d'humeur et à la mélancolie. Bien qu'il eût chez lui beaucoup de livres, il s'en servait rarement. Ses principaux amusements consistaient à chasser et à pêcher, ou à flâner sur la plage et à travers les taillis, en quête de coquillages et d'échantillons entomologiques ; sa collection d'insectes était d'ailleurs considérable. Dans ces excursions, il était ordinairement accompagné par un ancien esclave noir nommé Jupiter, qui avait été affranchi avant les revers de la famille, mais qu'on n'avait pu décider, ni par menaces ni par promesses, à abandonner son jeune *massa Will*; il considérait comme son droit de le suivre partout.

Sous la latitude de l'île de Sullivan, les hivers sont rarement rigoureux, et c'est un événement quand, au déclin de l'année, le feu devient indispensable. Cependant, vers le milieu d'octobre 18..., il y eut une journée d'un froid remarquable. Juste avant le coucher du soleil, je me frayais un chemin à travers les taillis vers la hutte de mon ami, que je n'avais pas vu depuis quelques semaines; je demeurais alors à Charleston, à une distance de quinze kilomètres de l'île, et les facilités pour aller et revenir étaient bien moins grandes qu'aujourd'hui. En arrivant à la hutte, je frappai selon mon habitude, et, ne recevant pas de réponse, je cherchai la clef où je savais qu'elle était cachée, j'ouvris la porte et j'entrai. Un beau feu flambait dans le foyer. C'était une surprise, et, à coup sûr, une des plus agréables. Je me débarrassai de mon paletot, je traînai un fauteuil auprès des bûches pétillantes, et j'attendis patiemment l'arrivée de mes hôtes.

Peu après la tombée de la nuit, ils arrivèrent et me firent un accueil tout à fait cordial. Jupiter, tout en riant d'une oreille à l'autre, s'activait à préparer quelques poules d'eau pour le souper. Legrand était dans une de ses crises d'enthousiasme ; car de quel autre nom appeler cela ? Il avait trouvé un coquillage inconnu, formant un genre nouveau, et, mieux encore, il avait chassé et attrapé, avec l'assistance de Jupiter, un scarabée qu'il croyait tout à fait nouveau et sur lequel il désirait avoir mon opinion le lendemain matin.

— Et pourquoi pas ce soir ? demandai-je en me frottant les mains devant la flamme, et envoyant mentalement au diable toute la race des scarabées.

— Ah ! si j'avais seulement su que vous étiez ici, dit Legrand ; mais il y a si longtemps que je ne vous ai vu ! Et comment pouvais-je deviner que vous me rendriez visite justement cette nuit ? En revenant au logis, j'ai rencontré le lieutenant G..., du fort, et très étourdiment je lui ai prêté le scarabée ; de sorte qu'il vous sera impossible de le voir avant demain matin. Restez ici cette nuit, et j'enverrai Jupiter le chercher au lever du soleil. C'est bien la plus ravissante chose de la création !

— Quoi ? Le lever du soleil ?

— Eh non ! Que diable ! Le scarabée. Il est d'une brillante couleur d'or, gros à peu près comme une grosse noix, avec deux taches d'un noir de jais à une extrémité du dos, et une troisième, un peu plus allongée, à l'autre. Les antennes sont...

— Il n'y a pas du tout d'étain sur lui, massa Will, je vous le parie, interrompit Jupiter ; le scarabée est un scarabée d'or, d'or massif, d'un bout à l'autre, dedans et partout, excepté les ailes ; je n'ai jamais vu de ma vie un scarabée à moitié aussi lourd.

— C'est bien, mettons que vous ayez raison, Jup, répliqua Legrand un peu plus vivement, à ce qu'il me sembla, que ne le comportait la situation, est-ce une raison pour laisser brûler les poules ?

Puis, en se tournant vers moi :

— La couleur de l'insecte suffirait en vérité à rendre plausible l'idée de Jupiter. Vous n'avez jamais vu un éclat métallique plus brillant que celui de ses élytres ; mais vous ne pourrez en juger que demain matin. En attendant, j'essayerai de vous donner une idée de sa forme.

Tout en parlant, il s'assit à une petite table sur laquelle il y avait une plume et de l'encre, mais pas de papier. Il chercha dans un tiroir, mais n'en trouva pas.

— N'importe, dit-il à la fin, cela suffira.

Et il tira de la poche de son gilet quelque chose qui me fit l'effet d'un morceau de vieux vélin fort sale, et il fit dessus une espèce de croquis à la plume. Pendant ce temps, j'avais gardé ma place auprès du feu, car j'avais toujours très froid. Quand son dessin fut achevé, il me le passa, sans se lever. Comme je le recevais de sa main, un fort grognement se fit entendre, suivi d'un grattement à la porte. Jupiter ouvrit, et un énorme terre-neuve, appartenant à Legrand, se précipita dans la chambre, sauta sur mes épaules et m'accabla de caresses ; car je m'étais fort occupé de lui dans mes visites précédentes. Quand il eut fini ses gambades, je regardai le papier, et pour dire la vérité, je me trouvai passablement intrigué par le dessin de mon ami.

— Oui ! dis-je après l'avoir contemplé quelques minutes, c'est là un étrange scarabée, je le confesse ; il est nouveau pour moi ; je n'ai jamais rien vu d'approchant, à moins que ce ne soit un crâne ou une tête de mort, à quoi il ressemble plus qu'aucune autre chose qu'il m'ait jamais été donné d'examiner.

— Une tête de mort ! répéta Legrand. Ah ! oui, il y a un peu de cela sur le papier, je comprends. Les deux taches noires supérieures font les yeux, et la plus longue, qui est plus bas, figure une bouche, n'est-ce pas ? D'ailleurs la forme générale est ovale...

— C'est peut-être cela, dis-je ; mais je crains, Legrand, que vous ne soyez pas très artiste. J'attendrai que j'aie vu la bête elle-même, pour me faire une idée quelconque de sa physionomie.

— Fort bien ! Je ne sais comment cela se fait, dit-il, un peu vexé, je dessine assez joliment, ou du moins je le devrais, car j'ai eu de bons maîtres, et je me flatte de n'être pas tout à fait une brute.

— Mais alors, mon cher camarade, dis-je, vous plaisantez ; ceci est un crâne fort passable, je puis même dire que c'est un crâne parfait, et votre scarabée serait le plus étrange de tous les scarabées du monde, s'il ressemblait à ceci. Mais où sont les antennes dont vous parliez ?

— Les antennes ! dit Legrand, qui s'échauffait

inexplicablement ; vous devez voir les antennes, j'en suis sûr. Je les ai faites aussi distinctes qu'elles le sont dans l'original, et je présume que cela est bien suffisant.

— À la bonne heure, dis-je ; mettons que vous les ayez faites ; toujours est-il vrai que je ne les vois pas.

Et je lui tendis le papier, sans ajouter aucune remarque, ne voulant pas le pousser à bout ; mais j'étais fort étonné de la tournure que l'affaire avait prise ; sa mauvaise humeur m'intriguait, et, quant au croquis de l'insecte, il n'y avait positivement pas d'antennes visibles, et l'ensemble ressemblait, à s'y méprendre, à l'image ordinaire d'une tête de mort.

Il reprit son papier d'un air maussade, et il était au moment de le froisser, sans doute pour le jeter dans le feu, quand, son regard étant tombé par hasard sur le dessin, toute son attention y parut enchaînée. En un instant, son visage devint d'un rouge intense, puis excessivement pâle. Pendant quelques minutes, sans bouger de sa place, il continua à examiner minutieusement le dessin. À la longue, il se leva, prit une chandelle sur la table, et alla s'asseoir sur un coffre, à l'autre extrémité de la chambre. Là, il recommença à examiner curieusement le papier, le tournant dans tous les sens. Néanmoins, il ne dit rien, et sa conduite me causait un étonnement extrême ; mais je jugeai prudent de n'exaspérer par aucun commentaire sa mauvaise humeur croissante. Enfin, il tira de la poche de son habit un portefeuille, y serra soigneusement le papier et déposa le tout dans un pupitre qu'il ferma à clef. Il revint dès lors à des allures plus calmes, mais son premier enthousiasme avait totalement disparu. Il avait l'air plutôt concentré que boudeur. À mesure que la soirée s'avançait, il s'absorbait de plus en plus dans sa rêverie, et aucune de mes plaisanteries ne put l'en arracher. Primitivement, j'avais eu l'intention de passer la nuit dans la cabane, comme j'avais déjà fait plus d'une fois ; mais, en voyant l'humeur de mon hôte, je jugeai plus convenable de prendre congé. Il ne fit aucun effort pour me retenir ; mais, quand je partis, il me serra la main avec une cordialité encore plus vive que de coutume.

Un mois environ après cette aventure, intervalle pendant lequel je n'avais pas entendu parler de Legrand, je reçus à Charleston une visite de son serviteur Jupiter. Je n'avais jamais vu le bon vieux noir si complètement abattu, et je fus pris de la crainte qu'il ne fût arrivé à mon ami quelque sérieux malheur.

— Eh bien, Jup, dis-je, quoi de neuf ? Comment va ton maître ?

— Dame ! pour dire la vérité, massa, il ne va pas aussi bien qu'il devrait.

— Pas bien ! Vraiment je suis navré d'apprendre cela. Mais de quoi se plaint-il ?

— Ah ! voilà la question ! Il ne se plaint jamais de rien, mais il est tout de même bien malade.

— Bien malade, Jupiter ! Eh ! Que ne disais-tu cela tout de suite ? Est-il au lit ?

— Non, non, il n'est pas au lit ! Il n'est bien nulle part ; voilà justement pourquoi c'est bizarre. J'ai l'esprit très inquiet au sujet du pauvre massa Will.

— Jupiter, je voudrais bien comprendre quelque chose à tout ce que tu me racontes là. Tu dis que ton maître est malade. Ne t'a-t-il pas dit de quoi il souffre ?

— Oh ! massa, c'est bien inutile de se creuser la tête. Massa Will dit qu'il n'a absolument rien ; mais, alors, pourquoi donc s'en va-t-il, de-ci de-là, tout pensif, les regards sur son chemin, la tête basse, les épaules voûtées, et pâle comme une oie ? Et pourquoi donc fait-il toujours et toujours des chiffres ?

— Il fait quoi, Jupiter ?

— Il fait des chiffres avec des signes sur une ardoise, les signes les plus bizarres que j'aie jamais vus. Je commence à avoir peur, tout de même. Il faut que j'aie toujours un œil braqué sur lui, rien que sur lui. L'autre jour, il m'a échappé avant le lever du soleil, et il a décampé pour toute la sainte journée. J'avais coupé un bon bâton exprès pour lui administrer une correction de tous les diables quand il reviendrait : mais je suis si bête, que je n'en ai pas eu le courage ; il a l'air si malheureux !

— Ah ! vraiment ! Eh bien, après tout, je crois que tu as mieux fait d'être indulgent pour le pauvre garçon. Il ne faut pas lui donner le fouet, Jupiter ; il n'est peut-être pas en état de le supporter. Mais ne peux-tu pas te faire une idée de ce qui a occasionné cette maladie, ou plutôt ce changement de conduite ? Lui est-il arrivé quelque chose de fâcheux depuis que je vous ai vus ?

— Non, massa, il n'est rien arrivé de fâcheux depuis lors, mais avant cela, oui, j'en ai peur, c'était le jour même que vous étiez là-bas.

— Comment ? Que veux-tu dire ?

— Eh ! massa, je veux parler du scarabée, voilà tout.

— Du quoi ?

— Du scarabée... Je suis sûr que massa Will a été mordu quelque part à la tête par ce scarabée d'or.

— Et quelle raison as-tu, Jupiter, pour faire une pareille supposition ?

— Il a bien assez de pinces pour cela, massa, et une bouche aussi. Je n'ai jamais vu un scarabée aussi endiablé ; il attrape et il mord tout ce qui l'approche. Massa Will l'avait d'abord attrapé, mais il l'a bien vite lâché, je vous assure ; c'est alors, sans doute, qu'il a été mordu. La mine de ce scarabée et sa bouche ne me plaisaient guère, certes ; aussi je ne voulus pas le prendre avec mes doigts ; mais je pris un morceau de papier, et j'empoignai le scarabée dans le papier ; je l'enveloppai donc dans le papier, avec un petit morceau de papier dans la bouche ; voilà comment je m'y suis pris.

— Et tu penses donc que ton maître a été réellement mordu par le scarabée, et que cette morsure l'a rendu malade ?

— Je ne pense rien du tout, je le sais. Pourquoi donc rêve-t-il toujours d'or, si ce n'est parce qu'il a été mordu par le scarabée d'or ? J'en ai déjà entendu parler, de ces scarabées d'or.

— Mais comment sais-tu qu'il rêve d'or ?

— Comment je le sais ? Parce qu'il en parle même en dormant ; voilà comment je le sais.

— Au fait, Jupiter, tu as peut-être raison, mais à quelle bienheureuse circonstance dois-je l'honneur de ta visite aujourd'hui ?

— Que voulez-vous dire, massa ?

— M'apportes-tu un message de M. Legrand ?

— Non, massa, je vous apporte une lettre que voici.

Et Jupiter me tendit un papier où je lus :

« *Mon cher,*

Pourquoi donc ne vous ai-je pas vu depuis si longtemps ? J'espère que vous n'avez pas été assez enfant pour vous formaliser d'une petite brusquerie de ma part ; mais non, cela est par trop improbable.

Depuis que je vous ai vu, j'ai eu un grand sujet d'inquiétude. J'ai quelque chose à vous dire, mais à peine sais-je comment vous le dire. Sais-je même si je vous le dirai ?

Je n'ai pas été tout à fait bien depuis quelques jours, et le pauvre vieux Jupiter m'ennuie insupportablement par toutes ses bonnes intentions et attentions. Le croiriez-vous ? Il avait, l'autre jour, préparé un gros bâton à l'effet de me châtier, pour lui avoir échappé et avoir passé la journée, seul, au milieu des collines, sur le continent. Je crois vraiment que ma mauvaise mine m'a seule sauvé de la bastonnade.

Je n'ai rien ajouté à ma collection depuis que nous nous sommes vus.

Revenez avec Jupiter, si vous le pouvez sans trop d'inconvénients. Venez, venez. Je désire vous voir ce soir pour affaire grave. Je vous assure que c'est de la plus haute importance.

Votre tout dévoué,
WILLIAM LEGRAND .»

Il y avait dans le ton de cette lettre quelque chose qui me causa une forte inquiétude. Ce style différait absolument du style habituel de Legrand. À quoi diable rêvait-il ? Quelle nouvelle lubie avait pris possession de sa trop excitable cervelle ? Quelle affaire de si haute importance pouvait-il avoir à accomplir ? Le rapport de Jupiter ne présageait rien de bon ; je tremblais pour la raison de mon ami. Sans hésiter un instant, je me préparai donc à accompagner le serviteur.

En arrivant au quai, je remarquai une faux et trois bêches, toutes également neuves, qui gisaient au fond du bateau dans lequel nous allions nous embarquer.

— Qu'est-ce que tout cela signifie, Jupiter ? demandai-je.

— Ça, c'est une faux, massa, et des bêches.

— Je le vois bien ; mais qu'est-ce que tout cela fait ici ?

— Massa Will m'a dit d'acheter pour lui cette faux et

110

ces bêches à la ville, et je les ai payées bien cher ; cela nous coûte un argent de tous les diables.

— Mais au nom de tout ce qu'il y a de mystérieux, qu'est-ce que ton massa Will a à faire de faux et de bêches ?

— Vous m'en demandez plus que je ne sais ; lui-même, massa, n'en sait pas davantage ; le diable m'emporte si je n'en suis pas convaincu. Mais tout cela vient du scarabée.

Voyant que je ne pouvais tirer aucun éclaircissement de Jupiter dont tout l'entendement paraissait absorbé par le scarabée, je descendis dans le bateau et je déployai la voile. Une belle et forte brise nous poussa bien vite dans la petite anse au nord du fort Moultrie, et, après une promenade de trois kilomètres environ, nous arrivâmes à la hutte. Il était à peu près trois heures de l'après-midi. Legrand nous attendait avec une vive impatience. Il me serra la main avec un empressement nerveux qui m'alarma et renforça mes soupçons naissants. Son visage était d'une pâleur spectrale, et ses yeux, naturellement fort enfoncés, brillaient d'un éclat surnaturel. Après quelques questions relatives à sa santé, je lui demandai, ne trouvant rien de mieux à dire, si le lieutenant G... lui avait enfin rendu son scarabée.

— Oh ! oui, répliqua-t-il en rougissant beaucoup ; je le lui ai repris le lendemain matin. Pour rien au monde je ne me séparerais de ce scarabée. Savez-vous bien que Jupiter a tout à fait raison à son égard ?

— En quoi ? demandai-je avec un triste pressentiment dans le cœur.

— En supposant que c'est un scarabée d'or véritable.

Il dit cela avec un sérieux profond, qui me fit indiciblement mal.

— Ce scarabée est destiné à faire ma fortune, continua-t-il avec un sourire de triomphe, à me réintégrer dans mes possessions de famille. Est-il donc étonnant que je le tienne en si haut prix ? Puisque la Fortune a jugé bon de me l'octroyer, je n'ai qu'à en user convenablement, et j'arriverai jusqu'à l'or dont il est l'indice. Jupiter, apporte-le-moi.

— Quoi ? Le scarabée, massa ? J'aime mieux n'avoir rien à démêler avec le scarabée ; vous saurez bien le prendre vous-même.

Là-dessus, Legrand se leva avec un air grave et imposant, et alla me chercher l'insecte sous un globe de verre où il était déposé. C'était un superbe scarabée, inconnu à cette époque aux naturalistes, et qui devait avoir un grand prix au point de vue scientifique. Il portait à l'une des extrémités du dos deux taches noires et rondes, et à l'autre une tache de forme allongée. Les élytres étaient excessivement dures et luisantes et avaient positivement l'aspect de l'or bruni. L'insecte était remarquablement lourd, et, tout bien considéré, je ne pouvais pas trop blâmer Jupiter de son opinion ; mais que Legrand s'entendît avec lui sur ce sujet, voilà ce qu'il m'était impossible de comprendre, et, quand il se serait agi de ma vie, je n'aurais pas trouvé le mot de l'énigme.

— Je vous ai envoyé chercher, dit-il d'un ton magnifique, quand j'eus achevé d'examiner l'insecte, je vous ai envoyé chercher pour vous demander conseil et assistance dans l'accomplissement des vues de la Destinée et du scarabée...

— Mon cher Legrand, m'écriai-je en l'interrompant, vous n'êtes certainement pas bien, et vous feriez beaucoup mieux de prendre quelques précautions. Vous allez vous mettre au lit et je resterai auprès de vous quelques jours, jusqu'à ce que vous soyez rétabli. Vous avez la fièvre, et...

— Tâtez mon pouls, dit-il.

Je le tâtai, et, pour dire la vérité, je ne trouvai pas le plus léger symptôme de fièvre.

— Mais vous pourriez bien être malade sans avoir la fièvre. Permettez-moi, pour cette fois seulement, de faire le médecin avec vous. Avant toute chose, allez vous mettre au lit. Ensuite...

— Vous vous trompez, interrompit-il ; je suis aussi bien que je puis espérer de l'être dans l'état d'excitation que j'endure. Si réellement vous voulez me voir tout à fait bien, vous allez m'aider.

— Et que faut-il faire pour cela ?

— C'est très facile. Jupiter et moi, nous partons pour une expédition dans les collines, sur le continent, et nous avons besoin de l'aide d'une personne en qui nous puissions absolument nous fier. Vous êtes cette personne unique. Que notre entreprise échoue ou réussisse, l'excitation que vous voyez en moi maintenant sera également apaisée.

— J'ai le vif désir de vous servir en toute chose, répliquai-je ; mais prétendez-vous dire que cet infernal scarabée ait quelque rapport avec votre expédition dans les collines ?

— Oui, certes.

— Alors, Legrand, il m'est impossible de coopérer à une entreprise aussi parfaitement absurde.

— J'en suis fâché, très fâché, car il nous faudra tenter l'affaire à nous seuls.

— À vous seuls ! Ah ! Le malheureux est fou, à coup sûr ! Mais voyons, combien de temps durera votre absence ?

— Probablement toute la nuit. Nous allons partir immédiatement, et, dans tous les cas, nous serons de retour au lever du soleil.

— Et vous me promettez, sur votre honneur, que ce caprice passé, vous rentrerez au logis, et que vous y suivrez exactement mes prescriptions, comme celles de votre médecin ?

— Oui, je vous le promets ; et maintenant partons, car nous n'avons pas de temps à perdre.

J'accompagnai mon ami, le cœur gros. À quatre heures, nous nous mîmes en route, Legrand, Jupiter, le chien et moi. Jupiter prit la faux et les bêches ; il insista pour s'en charger, plutôt, à ce qu'il me parut, par crainte de laisser un de ces instruments dans la main de son maître que par excès de zèle et de complaisance. Il était d'ailleurs d'une humeur de chien, et ces mots : « Damné scarabée ! » furent les seuls qui lui échappèrent tout le long du voyage. J'avais, pour ma part, la charge de deux lanternes sourdes ; quant à Legrand, il s'était contenté du scarabée, qu'il portait attaché au bout d'un morceau de ficelle, et qu'il faisait tourner autour de lui, tout en marchant, avec des airs de magicien. Quand j'observais ce symptôme suprême de démence dans mon pauvre ami, je pouvais à peine retenir mes larmes. Je pensai toutefois qu'il valait mieux épouser sa fantaisie, au moins pour le moment, ou jusqu'à ce que je pusse prendre quelques mesures énergiques avec chance de succès. Cependant, j'essayais, mais fort inutilement, de le sonder relativement au but de l'expédition. Il avait réussi à me persuader de l'accompagner et semblait désormais peu disposé à lier conversation sur un sujet d'une si maigre importance. À toutes mes questions, il ne daignait répondre que par un « Nous verrons bien ! »

Nous traversâmes dans un esquif la crique à la pointe de l'île, et, grimpant sur les terrains montueux de la rive opposée, nous nous dirigeâmes vers le nord-ouest, à travers un pays horriblement sauvage et désolé, où il était impossible de découvrir la trace d'un pied humain. Legrand suivait sa route avec décision, s'arrêtant seulement de temps en temps pour consulter certaines indications qu'il paraissait avoir laissées lui-même dans une occasion précédente.

Nous marchâmes ainsi deux heures environ, et le soleil était au moment de se coucher quand nous entrâmes dans une région infiniment plus sinistre que tout ce que nous avions vu jusqu'alors. C'était une espèce de plateau au sommet d'une montagne affreusement escarpée, couverte de bois de la base au sommet, et semée d'énormes blocs de pierre qui semblaient éparpillés pêle-mêle sur le sol, et dont plusieurs se seraient infailliblement précipités dans les vallées inférieures sans le secours des arbres contre lesquels ils s'appuyaient. De profondes ravines irradiaient dans diverses directions et donnaient à la scène un caractère de solennité plus lugubre.

La plate-forme naturelle sur laquelle nous étions grimpés était si profondément encombrée de ronces, que nous vîmes bien que, sans la faux, il nous eût été impossible de nous frayer un passage. Jupiter, d'après les ordres de son maître, commença à nous éclaircir un chemin jusqu'au pied d'un tulipier gigantesque qui se dressait, en compagnie de huit ou dix chênes, sur la plate-forme, et les surpassait tous, ainsi que tous les arbres que j'avais vus jusqu'alors, par la beauté de sa forme et de son feuillage, par l'immense développement de son branchage et par la majesté générale de son aspect. Quand nous eûmes atteint cet arbre, Legrand se tourna vers Jupiter et lui demanda s'il se croyait capable d'y grimper. Le pauvre vieux parut légèrement étourdi par cette question et resta quelques instants sans répondre. Cependant, il s'approcha de l'énorme tronc, en fit lentement le tour et l'examina avec une attention minutieuse. Quand il eut achevé son examen, il dit simplement :

— Oui, massa ; Jup n'a pas vu d'arbre où il ne puisse grimper.

— Alors, monte ; allons, allons ! et rondement ! Car il fera bientôt trop noir pour voir ce que nous faisons.

— Jusqu'où faut-il monter, massa ? demanda Jupiter.

— Grimpe d'abord sur le tronc, et puis je te dirai quel chemin tu dois suivre. Ah ! un instant ! Prends ce scarabée avec toi.

— Le scarabée, massa Will ! Le scarabée d'or ! cria le noir, reculant de frayeur ; pourquoi donc faut-il que je porte avec moi ce scarabée sur l'arbre ? Que je sois damné si je le fais !

— Jup, si vous avez peur, vous, un grand serviteur, de toucher à un petit insecte mort et inoffensif, eh bien, vous pouvez l'emporter avec cette ficelle ; mais, si vous ne l'emportez pas avec vous d'une manière ou d'une autre, je serai dans la cruelle nécessité de vous fendre la tête avec cette bêche.

— Mon Dieu ! Qu'est-ce qu'il y a donc, massa ? dit Jup, que la honte rendait évidemment plus complaisant ; il faut toujours que vous cherchiez noise à votre vieux noir. C'est une farce, voilà tout. Moi, avoir peur du scarabée ! Je m'en soucie bien du scarabée !

Et il prit avec précaution l'extrême bout de la corde, et, tout en maintenant l'insecte aussi loin de sa personne que les circonstances le permettaient, il se mit en devoir de grimper à l'arbre.

Dans sa jeunesse, le tulipier, le plus magnifique des forestiers américains, a un tronc singulièrement lisse et s'élève souvent à une grande hauteur, sans pousser de branches latérales ; mais quand il arrive à sa maturité, l'écorce devient rugueuse et inégale, et de petits rudiments de branches se manifestent en grand nombre sur le tronc. Aussi l'escalade, dans le cas actuel, était beaucoup plus difficile en apparence qu'en réalité. Embrassant de son mieux l'énorme cylindre avec ses bras et ses genoux, empoignant avec les mains quelques-unes des pousses, appuyant ses pieds nus sur les autres, Jupiter, après avoir failli tomber une ou deux fois, se hissa à la longue jusqu'à la première grande fourche, et sembla dès lors regarder la besogne comme virtuellement accompli. En effet, le risque principal de l'entreprise avait disparu, bien que le brave noir se trouvât à soixante ou soixante-dix pieds du sol.

— De quel côté faut-il que j'aille maintenant, massa Will ? demanda-t-il.

— Suis toujours la plus grosse branche, celle de ce côté, dit Legrand.

Le noir lui obéit promptement, et apparemment sans trop de peine ; il monta, monta toujours plus haut, de sorte qu'à la fin sa personne rampante et ramassée disparut dans l'épaisseur du feuillage ; il était tout à fait invisible. Alors, sa voix lointaine se fit entendre ; il criait :

— Jusqu'où faut-il monter encore ?

— À quelle hauteur es-tu ? demanda Legrand.

— Si haut, si haut, répliqua le noir, que je peux voir le ciel à travers le sommet de l'arbre.

— Ne t'occupe pas du ciel, mais fais attention à ce que je te dis. Regarde le tronc, et compte les branches au-dessous de toi, de ce côté. Combien de branches as-tu passées ?

— Une, deux, trois, quatre, cinq ; j'ai passé cinq grosses branches, massa, de ce côté-ci.

— Alors, monte encore d'une branche.

Au bout de quelques minutes, sa voix se fit entendre de nouveau. Il annonçait qu'il avait atteint la septième branche.

— Maintenant, Jup, cria Legrand, en proie à une agitation manifeste, il faut que tu trouves le moyen de t'avancer sur cette branche aussi loin que tu le pourras. Si tu vois quelque chose de singulier, tu me le diras.

Dès lors, les quelques doutes que j'avais essayé de conserver relativement à la démence de mon pauvre ami disparurent complètement. Je ne pouvais plus ne pas le considérer comme frappé d'aliénation mentale, et je commençai à m'inquiéter sérieusement des moyens de le ramener au logis. Pendant que je méditais sur ce que j'avais de mieux à faire, la voix de Jupiter se fit entendre de nouveau.

— J'ai bien peur de m'aventurer un peu loin sur cette branche ; c'est une branche morte presque dans toute sa longueur.

— Tu dis bien que c'est une branche morte, Jupiter ? cria Legrand d'une voix tremblant d'émotion.

— Oui, massa, morte comme un vieux clou de porte, c'est une affaire faite, elle est bien morte, tout à fait sans vie.

— Au nom du ciel, que faire ? demanda Legrand, qui semblait en proie à un vrai désespoir.

— Que faire ? dis-je, heureux de saisir l'occasion pour placer un mot raisonnable : retourner au logis et nous aller coucher. Allons, venez ! Soyez gentil, mon camarade. Il se fait tard, et puis souvenez-vous de votre promesse.

— Jupiter, criait-il sans m'écouter le moins du monde, m'entends-tu ?

— Oui, massa Will, je vous entends parfaitement.

— Entame donc le bois avec ton couteau, et dis-moi si tu le trouves bien pourri.

— Pourri, massa, assez pourri, répliqua bientôt le noir, mais pas aussi pourri qu'il pourrait l'être. Je pourrais m'aventurer un peu plus sur la branche, mais moi seul.

— Toi seul ! Qu'est-ce que tu veux dire ?

— Je veux parler du scarabée. Il est bien lourd, le scarabée. Si je le lâchais d'abord, la branche porterait bien, sans casser, le poids d'un noir tout seul.

— Infernal coquin! cria Legrand, qui avait l'air fort soulagé, quelles sottises me chantes-tu là? Si tu laisses tomber l'insecte, je te tords le cou. Fais-y attention, Jupiter; tu m'entends, n'est-ce pas?

— Oui, massa, ce n'est pas la peine de traiter comme ça un pauvre noir.

— Eh bien, écoute-moi, maintenant! Si tu te hasardes sur la branche aussi loin que tu pourras le faire sans danger et sans lâcher le scarabée, je te ferai cadeau d'un dollar d'argent aussitôt que tu seras descendu.

— J'y vais, massa Will, m'y voilà, répliqua lestement le noir, je suis presque au bout.

— Au bout! cria Legrand, très radouci. Veux-tu dire que tu es au bout de cette branche?

— Je suis bientôt au bout, massa. Oh! oh! oh! Seigneur Dieu! Miséricorde! Qu'y a-t-il sur l'arbre?

— Eh bien, cria Legrand, au comble de la joie, qu'est-ce qu'il y a?

— Eh! ce n'est rien qu'un crâne; quelqu'un a laissé sa tête sur l'arbre, et les corbeaux ont becqueté toute la viande.

— Un crâne, dis-tu? Très bien! Comment est-il attaché à la branche? Qu'est-ce qui le retient?

— Oh! il tient bien; mais il faut voir. Ah! C'est une drôle de chose, sur ma parole; il y a un gros clou dans le crâne, qui le retient à l'arbre.

— Bien! Maintenant, Jupiter, fais exactement ce que je vais te dire; tu m'entends?

— Oui, massa.

— Fais bien attention ! Trouve l'œil gauche du crâne.

— Oh ! oh ! voilà qui est drôle ! Il n'y a pas d'œil gauche du tout.

— Maudite stupidité ! Sais-tu distinguer ta main droite de ta main gauche ?

— Oui, je sais, je sais tout cela ; ma main gauche est celle avec laquelle je fends le bois.

— Sans doute, tu es gaucher ; et ton œil gauche est du même côté que ta main gauche. Maintenant, je suppose, tu peux trouver l'œil gauche du crâne, ou la place où était l'œil gauche. As-tu trouvé ?

Il y eut ici une longue pause. Enfin, le noir demanda :

— L'œil gauche du crâne est aussi du même côté que la main gauche du crâne ? Mais le crâne n'a pas de mains du tout ! Cela ne fait rien ! J'ai trouvé l'œil gauche, voilà l'œil gauche ! Que faut-il faire, maintenant ?

— Laisse filer le scarabée à travers, aussi loin que la ficelle peut aller ; mais prends bien garde de lâcher le bout de la corde.

— Voilà qui est fait, massa Will ; c'était chose facile de faire passer le scarabée par le trou ; tenez, voyez-le descendre.

Pendant tout ce dialogue, la personne de Jupiter était restée invisible ; mais l'insecte qu'il laissait filer apparaissait maintenant au bout de la ficelle, et brillait comme une boule d'or brunie aux derniers rayons du soleil couchant, dont quelques-uns éclairaient encore faiblement l'éminence où nous étions placés. Le scarabée en descendant émergeait des branches, et, si Jupiter l'avait laissé tomber, il serait tombé à nos pieds. Legrand prit immédiatement la faux et éclaircit un espace circulaire de trois ou quatre mètres de diamètre, juste au-dessous de l'insecte, et, ayant achevé cette besogne, ordonna à Jupiter de lâcher la corde et de descendre de l'arbre.

Avec un soin scrupuleux, mon ami enfonça dans la terre une cheville, à l'endroit précis où le scarabée était tombé, et tira de sa poche un ruban à mesurer. Il l'attacha par un bout à l'endroit du tronc de l'arbre qui était le plus près de la cheville, le déroula jusqu'à la cheville, et continua ainsi à le dérouler dans la direction donnée par ces deux points, la cheville et le tronc, jusqu'à la distance de vingt mètres. Pendant ce temps, Jupiter nettoyait les ronces avec la faux. Au point ainsi trouvé, il enfonça une seconde cheville, qu'il prit comme centre, et autour duquel il décrivit grossièrement un cercle d'un mètre cinquante de diamètre environ. Il s'empara alors d'une bêche, en donna une à Jupiter, une à moi, et nous pria de creuser aussi vivement que possible.

Pour parler franchement, je n'avais jamais eu beaucoup de goût pour un pareil amusement, et, dans le cas présent, je m'en serais bien volontiers passé ; car la nuit s'avançait, et je me sentais passablement fatigué de l'exercice que j'avais déjà pris ; mais je ne voyais aucun moyen de m'y soustraire, et je tremblais de troubler par un refus la prodigieuse sérénité de mon pauvre ami. Si j'avais pu compter sur l'aide de Jupiter, je n'aurais pas hésité à ramener par la force notre fou chez lui ; mais je connaissais trop bien le caractère du vieux noir pour espérer son assistance, dans le cas d'une lutte personnelle avec son maître et dans n'importe quelle circonstance. Je ne doutais pas que Legrand n'eût le cerveau infecté de quelqu'une des innombrables superstitions du Sud relatives aux trésors enfouis, et que cette imagination n'eût été confirmée par la trouvaille du scarabée, ou peut-être même par l'obstination de Jupiter à soutenir que c'était un scarabée d'or véritable. Puis je me rappelais le discours du pauvre garçon relativement au scarabée, indice de sa fortune ! Par-dessus tout, j'étais cruellement tourmenté et embarrassé ; mais enfin je résolus de faire contre mauvaise fortune bon cœur et de bêcher de bonne volonté, pour convaincre mon visionnaire qu'il faisait fausse route.

Nous allumâmes les lanternes, et nous attaquâmes notre besogne avec un ensemble et un zèle dignes d'une cause plus rationnelle ; et, comme la lumière tombait sur nos personnes et nos outils, je ne pus m'empêcher de songer que nous composions un groupe vraiment pittoresque, et que, si quelque intrus était tombé par hasard au milieu de nous, nous lui serions apparus comme faisant une besogne bien étrange et bien suspecte.

Nous creusâmes ferme deux heures durant.

Nous parlions peu. Notre principal embarras était causé par les aboiements du chien, qui prenait un intérêt excessif à nos travaux. À la longue, il devint tellement turbulent que nous craignîmes qu'il ne donnât l'alarme à quelques rôdeurs du voisinage. À la fin, le vacarme fut étouffé, grâce à Jupiter, qui, s'élançant hors du trou avec un air furieusement décidé, musela la gueule de l'animal avec une de ses bretelles et puis retourna à sa tâche avec un petit rire de triomphe très grave.

Les deux heures écoulées, nous avions atteint une profondeur de cinq pieds, et aucun indice de trésor ne se montrait. Nous fîmes une pause générale, et je commençai à espérer que la farce touchait à sa fin. Cependant, Legrand, quoique évidemment très déconcerté, s'essuya le front d'un air pensif et reprit sa bêche. Notre trou occupait déjà toute l'étendue du cercle que Legrand avait dessiné ; nous entamâmes légèrement cette limite, et nous creusâmes encore de cinquante centimètres. Rien n'apparut. Mon chercheur d'or, dont j'avais sérieusement pitié, sauta enfin hors du trou avec le plus affreux désappointement écrit sur le visage, et se décida, lentement et comme à regret, à reprendre son habit qu'il avait ôté avant de se mettre à l'ouvrage. Pour moi, je me gardai bien de faire aucune remarque. Jupiter, à un signal de son maître, commença à rassembler les outils. Cela fait, et le chien étant démuselé, nous reprîmes notre chemin dans un profond silence.

Nous avions peut-être fait une douzaine de pas, quand

Legrand, poussant un terrible juron, sauta sur Jupiter et l'empoigna au collet. Le noir stupéfait ouvrit les yeux et la bouche dans toute leur ampleur, lâcha les bêches et tomba sur les genoux.

— Scélérat ! criait Legrand en faisant siffler les syllabes entre ses dents, gredin de noir ! Parle, te dis-je ! Réponds-moi à l'instant, et surtout ne mens pas ! Quel est, quel est ton œil gauche ?

— Ah ! miséricorde, massa Will ! N'est-ce pas là, pour sûr, mon œil gauche ? rugissait Jupiter, épouvanté, plaçant sa main sur l'organe droit de la vision, et l'y maintenant avec l'opiniâtreté du désespoir, comme s'il eût craint que son maître ne voulût le lui arracher.

— Je m'en doutais ! Je le savais bien ! Hourra ! vociféra Legrand, en lâchant le noir, et en exécutant une série de gambades et de cabrioles, au grand étonnement de son domestique, qui, en se relevant, promenait, sans mot dire, ses regards de son maître à moi et de moi à son maître.

— Allons, il nous faut retourner, dit celui-ci, la partie n'est pas perdue.

Et il reprit son chemin vers le tulipier.

— Jupiter, dit-il quand nous fûmes arrivés au pied de l'arbre, viens ici ! Le crâne est-il cloué à la branche avec la face tournée à l'extérieur ou tournée contre la branche ?

— La face est tournée à l'extérieur, massa, de sorte que les corbeaux ont pu manger les yeux sans aucune peine.

— Bien. Alors, est-ce par cet œil-ci ou par celui-là que tu as fait couler le scarabée ?

Et Legrand touchait alternativement les deux yeux de Jupiter.

— Par cet œil-ci, massa, par l'œil gauche, juste comme vous me l'aviez dit.

Et c'était encore son œil droit qu'indiquait le pauvre noir.

— Allons, allons ! Il nous faut recommencer.

Alors, mon ami, dans la folie duquel je voyais maintenant, ou croyais voir certains indices de méthode, reporta la cheville qui marquait l'endroit où le scarabée était tombé, à dix centimètres vers l'ouest de sa première position. Étalant de nouveau son cordeau du point le plus rapproché du tronc jusqu'à la cheville, comme il l'avait déjà fait, et continuant à l'étendre en ligne droite à une distance de vingt mètres, il marqua un nouveau point éloigné de plusieurs mètres de l'endroit où nous avions précédemment creusé.

Autour de ce nouveau centre, un cercle fut tracé, un peu plus large que le premier, et nous nous mîmes aussitôt à jouer de la bêche. J'étais effroyablement fatigué ; mais, sans me rendre compte de ce qui occasionnait un changement dans ma pensée, je ne sentais plus une aussi grande aversion pour le labeur qui m'était imposé. Je m'y intéressais inexplicablement ; je dirai plus, je me sentais excité. Peut-être y avait-il dans toute l'extravagante conduite de Legrand un certain air délibéré, une certaine allure prophétique qui m'impressionnaient moi-même. Je bêchais ardemment et de temps à autre je me surprenais, cherchant, pour ainsi dire, des yeux, avec un sentiment qui ressemblait à de l'attente, ce trésor imaginaire dont la vision avait affolé mon infortuné camarade. Dans un de ces moments où ces rêvasseries s'étaient plus singulièrement emparées de moi, et comme nous avions déjà travaillé une heure et demie à peu près, nous fûmes de nouveau interrompus par les violents hurlements du chien. Son inquiétude, dans le premier cas, n'était évidemment que le résultat d'un caprice ou d'une gaieté folle ; mais, cette fois, elle prenait un ton plus violent et plus caractérisé. Comme Jupiter s'efforçait de nouveau de le museler, il fit une résistance furieuse, et, bondissant dans le trou, il se mit à gratter frénétiquement la terre avec ses griffes. En quelques secondes, il avait découvert une masse d'ossements humains, formant deux squelettes complets et mêlés de plusieurs boutons de métal, avec quelque chose qui nous parut être de la vieille laine pourrie et émiettée. Un ou deux coups de bêche firent sauter la lame d'un grand couteau espagnol ; nous creusâmes encore, et trois ou quatre pièces de monnaie d'or et d'argent apparurent éparpillées.

À cette vue, Jupiter put à peine contenir sa joie, mais la physionomie de son maître exprima un affreux désappointement. Il nous supplia toutefois de continuer nos efforts, et à peine avait-il fini de parler que je trébuchai et tombai en avant ; la pointe de ma botte s'était engagée dans un gros anneau de fer qui gisait à moitié enseveli sous un amas de terre fraîche.

Nous nous remîmes au travail avec une ardeur nouvelle ; jamais je n'ai passé dix minutes dans une aussi vive exaltation. Durant cet intervalle, nous déterrâmes complètement un coffre de forme oblongue, qui semblait dans un état de parfaite conservation. Ce coffre faisait un bon mètre de longueur, était à peine moins large et était profond de quatre-vingts centimètres. Il était solidement maintenu par des lames de fer forgé, rivées et formant tout autour une espèce de treillage. De chaque côté du coffre, près du couvercle, étaient trois anneaux de fer, six en tout, au moyen desquels six personnes pouvaient s'en emparer. Tous nos efforts réunis ne réussirent qu'à le déranger légèrement de son lit. Nous vîmes tout de suite l'impossibilité d'emporter un si énorme poids. Par bonheur, le couvercle n'était retenu que par deux verrous que nous fîmes glisser, tremblants et pantelants d'anxiété. En un instant, un trésor d'une valeur incalculable s'épanouit, étincelant, devant nous. Les rayons des lanternes tombaient dans la fosse, et faisaient jaillir d'un amas confus d'or et de bijoux des éclairs et des splendeurs qui nous éclaboussaient positivement les yeux.

Je n'essayerai pas de décrire les sentiments avec lesquels je contemplais ce trésor. La stupéfaction, comme on peut le supposer, dominait tous les autres.

Legrand paraissait épuisé par son excitation même, et ne prononça que quelques paroles. Quant à Jupiter, sa figure devint aussi mortellement pâle que cela est possible à une figure de noir. Il semblait stupéfié, foudroyé. Bientôt il tomba sur ses genoux dans la fosse, et plongeant ses bras nus dans l'or jusqu'au coude, il les y laissa longtemps, comme s'il jouissait des voluptés d'un bain. Enfin, il s'écria avec un profond soupir, comme se parlant à lui-même :

— Et tout cela vient du scarabée d'or ? Le joli scarabée d'or ! Le pauvre petit scarabée d'or que j'injuriais, que je calomniais ! N'as-tu pas honte de toi ?

Il fallut que je réveillasse, pour ainsi dire, le maître et le valet, et que je leur fisse comprendre qu'il y avait urgence à emporter le trésor. Il se faisait tard, et il nous fallait déployer quelque activité, si nous voulions que tout fût en sûreté chez nous avant le jour. Nous ne savions quel parti prendre, et nous perdions beaucoup de temps en délibérations, tant nous avions les idées en désordre. Finalement nous allégeâmes le coffre en enlevant les deux tiers de son contenu, et nous pûmes enfin, mais non sans peine encore, l'arracher de son trou. Les objets que nous en avions tirés furent déposés parmi les ronces, et confiés à la garde du chien, à qui Jupiter enjoignit strictement de ne bouger sous aucun prétexte, et de ne pas même ouvrir la bouche jusqu'à notre retour. Alors, nous nous mîmes précipitamment en route avec le coffre, nous atteignîmes la hutte sans accident, mais après une fatigue effroyable et à une heure du matin. Épuisés comme nous l'étions, nous ne pouvions immédiatement nous remettre à la besogne, c'eût été dépasser les forces de la nature. Nous nous reposâmes jusqu'à deux heures, puis nous soupâmes ; enfin nous nous remîmes en route pour les montagnes, munis de trois gros sacs que nous trouvâmes par bonheur dans la hutte. Nous arrivâmes un peu avant quatre heures à notre fosse, nous nous partageâmes aussi également que possible le reste du butin, et, sans nous donner la peine de combler le trou, nous nous remîmes en marche vers notre case, où nous déposâmes pour la seconde fois nos précieux fardeaux, juste comme les premières bandes de l'aube apparaissaient à l'est, au-dessus de la cime des arbres.

Nous étions absolument brisés ; mais la profonde excitation actuelle nous refusa le repos. Après un sommeil inquiet de trois ou quatre heures, nous nous levâmes, comme si nous nous étions concertés, pour procéder à l'examen du trésor.

Le coffre avait été rempli jusqu'aux bords, et nous passâmes toute la journée et la plus grande partie de la nuit suivante à inventorier son contenu. On n'y avait mis aucune espèce d'ordre ni d'arrangement ; tout y avait été empilé pêle-mêle. Quand nous eûmes fait soigneusement un classement général, nous nous trouvâmes en possession d'une fortune qui dépassait tout ce que nous avions supposé. Il y avait en espèces plus de 450 000 dollars, en estimant la valeur des pièces aussi rigoureusement que possible d'après les tables de l'époque. Dans tout cela, pas une parcelle d'argent. Tout était en or de vieille date et d'une grande variété : monnaies française, espagnole et allemande, quelques guinées anglaises, et quelques jetons dont nous n'avions jamais vu aucun modèle. Il y avait plusieurs pièces de monnaie, très grandes et très lourdes, mais si usées, qu'il nous fut impossible de déchiffrer les inscriptions. Aucune monnaie américaine. Quant à l'estimation des bijoux, ce fut une affaire un peu plus difficile. Nous trouvâmes des diamants, dont quelques-uns très beaux et d'une grosseur singulière ; en tout, cent dix, dont pas un n'était petit ; dix-huit rubis d'un éclat remarquable ; trois cent dix émeraudes, toutes très belles ; vingt et un saphirs et une opale. Toutes ces pierres avaient été arrachées de leurs montures et jetées pêle-mêle dans le coffre. Quant aux montures elles-mêmes, dont nous fîmes une catégorie distincte de l'autre or, elles paraissaient avoir été broyées à coups de marteau comme pour rendre toute reconnaissance impossible. Outre tout cela, il y avait une énorme quantité d'ornements en or massif ; près de deux cents bagues ou boucles d'oreilles massives ; de belles chaînes, au nombre de trente, si j'ai bonne mémoire ; quatre-vingt-trois crucifix très grands et très lourds ; cinq encensoirs d'or d'un grand prix ; un gigantesque bol en or ; deux poignées d'épée merveilleusement travaillées, et une foule d'autres articles plus petits et dont j'ai perdu le souvenir. Le poids de toutes ces valeurs dépassait deux cents kilos ; et dans cette estimation j'ai omis cent quatre-vingt-dix-sept montres d'or superbes dont trois valaient chacune cinq cents dollars. Plusieurs étaient très vieilles, et sans aucune valeur comme pièces d'horlogerie, les mouvements ayant plus ou moins souffert de l'action corrosive de la terre ; mais toutes étaient magnifiquement ornées de pierreries, et les boîtes étaient d'un grand prix. Nous évaluâmes cette nuit le contenu total du coffre à un million et demi de dollars ; et, lorsque plus tard nous disposâmes des bijoux et des pierreries, après en avoir gardé quelques-uns pour notre usage personnel, nous trouvâmes que nous avions singulièrement sous-évalué le trésor.

Lorsque nous eûmes enfin terminé notre inventaire et que notre terrible exaltation fut en grande partie apaisée, Legrand, qui voyait que je mourais d'impatience de posséder la solution de cette prodigieuse énigme, entra dans un détail complet de toutes les circonstances qui s'y rapportaient.

— Vous vous rappelez, dit-il, le soir où je vous fis passer la grossière esquisse que j'avais faite du scarabée. Vous vous souvenez aussi que je fus passablement choqué de votre insistance à me soutenir que mon dessin ressemblait à une tête de mort. Votre ironie à l'égard de mes facultés graphiques m'irritait, car on me regarde comme un artiste fort passable ; aussi, quand vous me tendîtes le morceau de parchemin, j'étais au moment de le froisser avec humeur et de le jeter dans le feu.

— Vous voulez parler du morceau de papier, dis-je.

— Non, cela avait toute l'apparence du papier, et, moi-même, j'avais d'abord supposé que c'en était ; mais, quand je voulus dessiner dessus, je découvris tout de suite que c'était un morceau de parchemin très mince. Il était fort sale, vous vous le rappelez. Au moment même où j'allais le chiffonner, mes yeux tombèrent sur le dessin que vous aviez regardé, et vous pouvez concevoir quel fut mon étonnement quand j'aperçus l'image positive d'une tête de mort à l'endroit même où j'avais cru dessiner un scarabée. Pendant un moment, je me sentis trop étourdi pour réfléchir correctement. Je savais que mon croquis différait de ce nouveau dessin par tous ses détails, bien qu'il y eût une certaine analogie dans le contour général. Je pris alors une chandelle, et, m'asseyant à l'autre bout de la chambre, je procédai à une analyse plus attentive du parchemin. En le retournant, je vis ma propre esquisse sur le revers, juste comme je l'avais faite. Ma première impression fut simplement de la surprise ; il y avait une analogie réellement remarquable dans le contour, et c'était une coïncidence singulière que ce fait de l'image d'un crâne, inconnue à moi, occupant l'autre côté du parchemin immédiatement au-dessous de mon dessin du scarabée, et d'un crâne qui ressemblait si exactement à mon dessin, non seulement par le contour, mais aussi par la dimension. Je dis que la singularité de cette coïncidence me stupéfia pour un instant. C'est l'effet ordinaire de ces

134

sortes de coïncidences. Mais, quand je revins de cette stupeur, je sentis luire en moi par degrés une conviction qui me frappa bien autrement encore que cette coïncidence. Je commençai à me rappeler distinctement qu'il n'y avait aucun dessin sur le parchemin quand j'y fis mon croquis du scarabée. J'en acquis la parfaite certitude ; car je me souvins de l'avoir tourné et retourné en cherchant l'endroit le plus propre. Si le crâne avait été visible, je l'aurais infailliblement remarqué. Il y avait réellement là un mystère que je me sentais incapable de débrouiller. Je me levai décidément, et, serrant soigneusement le parchemin, je renvoyai toute réflexion ultérieure jusqu'au moment où je pourrais être seul.

Quand vous fûtes parti et quand Jupiter fut bien endormi, je me livrai à une investigation un peu plus méthodique de la chose. Et d'abord je voulus comprendre de quelle manière ce parchemin était tombé dans mes mains. L'endroit où nous découvrîmes le scarabée était sur la côte du continent, à un mille environ à l'est de l'île, mais à une petite distance au-dessus du niveau de la marée haute. Quand je m'en emparai, il me mordit cruellement, et je le lâchai. Jupiter, avec sa prudence accoutumée, avant de prendre l'insecte, qui s'était envolé de son côté, chercha autour de lui une feuille ou quelque chose d'analogue, avec quoi il pût s'en emparer. Ce fut en ce moment que ses yeux et les miens tombèrent sur le morceau de parchemin, que je pris alors pour du papier. Il était à moitié enfoncé dans le sable, avec un coin en l'air. Près de l'endroit où nous le trouvâmes, j'observai les restes d'une coque de grande embarcation, autant du moins que j'en pus juger. Ces débris de naufrage étaient là probablement depuis longtemps, car à peine pouvait-on y trouver la physionomie d'une charpente de bateau.

Jupiter ramassa donc le parchemin, enveloppa l'insecte et me le donna. Peu de temps après, nous reprîmes le chemin de la hutte, et nous rencontrâmes le lieutenant G... Je lui montrai l'insecte, et il me pria de lui permettre de l'emporter au fort. J'y consentis, et il le fourra dans la poche de son gilet sans le parchemin qui lui servait d'enveloppe, et que je tenais toujours à la main pendant qu'il examinait le scarabée. Peut-être eut-il peur que je ne changeasse d'avis, et jugea-t-il prudent de s'assurer d'abord de sa prise ; vous savez qu'il est fou d'histoire naturelle et de tout ce qui s'y rattache. Il est évident qu'alors, sans y penser, j'ai remis le parchemin dans ma poche.

Vous vous rappelez que, lorsque je m'assis à la table pour faire un croquis du scarabée, je ne trouvai pas de papier à l'endroit où on le met ordinairement. Je regardai dans le tiroir, il n'y en avait point. Je cherchais dans mes poches, espérant trouver une vieille lettre, quand mes doigts rencontrèrent le parchemin. Je vous détaille minutieusement toute la série de circonstances qui l'ont jeté dans mes mains ; car toutes ces circonstances ont singulièrement frappé mon esprit.

Sans aucun doute, vous me considérerez comme un rêveur, mais j'avais déjà établi une espèce de connexion. J'avais uni deux anneaux d'une grande chaîne. Un bateau échoué à la côte, et non loin de ce bateau un parchemin, non pas un papier, portant l'image d'un crâne. Vous allez naturellement me demander où est le rapport ? Je répondrai que le crâne ou la tête de mort est l'emblème bien connu des pirates. Ils ont toujours, dans tous leurs combats, hissé le pavillon à tête de mort.

Je vous ai dit que c'était un morceau de parchemin et non pas de papier. Le parchemin est une chose durable, presque impérissable. On confie rarement au parchemin des documents d'une minime importance. Cette réflexion m'induisit à penser qu'il devait y avoir dans la tête de mort quelque rapport, quelque sens singulier.

— Mais, interrompis-je, vous dites que le crâne n'était pas sur le parchemin quand vous y dessinâtes le scarabée. Comment donc pouvez-vous établir un rapport entre le bateau et le crâne, puisque ce dernier, d'après votre propre aveu, a dû être dessiné postérieurement à votre dessin du scarabée ?

— Ah ! c'est là-dessus que roule tout le mystère ; bien que j'aie eu comparativement peu de peine à résoudre ce point de l'énigme. Ma marche était sûre, et ne pouvait me conduire qu'à un seul résultat. Je raisonnais ainsi, par exemple : quand je dessinai mon scarabée, il n'y avait pas trace de crâne sur le parchemin ; quand j'eus fini mon dessin, je vous le fis passer, et je ne vous perdis pas de vue que vous ne me l'eussiez rendu. Conséquemment ce n'était pas vous qui aviez dessiné le crâne, et il n'y avait là aucune autre personne pour le faire. Il n'avait donc pas été créé par l'action humaine ; et cependant, il était là, sous mes yeux !

Arrivé à ce point de mes réflexions, je m'appliquai à me rappeler et je me rappelai en effet, et avec une parfaite exactitude, tous les incidents survenus dans l'intervalle en question. La température était froide, et un bon feu flambait dans la cheminée. J'étais suffisamment réchauffé par l'exercice, et je m'assis près de la table. Vous, cependant, vous aviez tourné votre chaise tout près de la cheminée. Juste au moment où je vous mis le parchemin dans la main, et comme vous alliez l'examiner, Wolf, mon terre-neuve, entra et vous sauta sur les épaules. Vous le caressiez avec la main gauche, et vous cherchiez à l'écarter, en laissant tomber nonchalamment votre main droite, celle qui tenait le parchemin, entre vos genoux et tout près du feu. Je crus un moment que la flamme allait l'atteindre, et j'allais vous dire de prendre garde ; mais avant que j'eusse parlé vous l'aviez retiré, et vous vous étiez mis à l'examiner. Quand j'eus bien considéré toutes ces circonstances, je ne doutai pas un instant que ce fût la chaleur qui avait fait apparaître sur le parchemin le crâne dont je voyais l'image. Vous savez bien qu'il y a – il y en a eu de tout temps – des préparations chimiques, au moyen desquelles on peut écrire sur du papier ou sur du vélin des caractères qui ne deviennent visibles que lorsqu'ils sont soumis à l'action du feu. On emploie quelquefois des solutions de salpêtre ou de cobalt. Des couleurs naissent alors ; elles disparaissent plus ou moins longtemps après que la substance sur laquelle on a écrit s'est refroidie, mais reparaissent à volonté par une application nouvelle de la chaleur.

J'examinai alors la tête de mort avec le plus grand soin. J'allumai immédiatement du feu, et je soumis chaque partie du parchemin à une chaleur brûlante. D'abord, cela n'eut d'autre effet que de renforcer les lignes un peu pâles du crâne ; mais, en continuant l'expérience, je vis apparaître, dans un coin de la bande, au coin diagonalement opposé à celui où était tracée la tête de mort, une figure que je supposai d'abord être celle d'une chèvre. Mais un examen plus attentif me convainquit qu'on avait voulu représenter un chevreau.

— Ah ! ah ! dis-je, je n'ai certes pas le droit de me moquer de vous – un million et demi de dollars ! c'est chose trop sérieuse pour qu'on en plaisante – mais vous n'allez pas ajouter un troisième anneau à votre chaîne ; vous ne trouverez aucun rapport spécial entre vos pirates et une chèvre ; les pirates, vous le savez, n'ont rien à faire avec les chèvres. Cela regarde les fermiers.

— Mais je viens de vous dire que l'image n'était pas celle d'une chèvre.

— Bon ! va pour un chevreau ; c'est presque la même chose.

— Presque, mais pas tout à fait, dit Legrand. Vous avez entendu parler peut-être d'un certain capitaine Kidd. Je considérai tout de suite la figure de cet animal comme une espèce de signature (*kid*: chevreau). Je dis signature, parce que la place qu'elle occupait sur le vélin suggérait naturellement cette idée. Quant à la tête de mort placée au coin diagonalement opposé, elle avait l'air d'un sceau, d'une estampille. Mais je fus cruellement déconcerté par l'absence du texte.

— Je présume que vous espériez trouver une lettre entre le timbre et la signature.

— Quelque chose comme cela. Le fait est que je me sentais comme irrésistiblement pénétré du pressentiment d'une immense bonne fortune imminente. Pourquoi ? Je ne saurais trop le dire. Croiriez-vous que le dire absurde de Jupiter, que le scarabée était en or massif, a eu une influence remarquable sur mon imagination ? Et puis cette série d'accidents et de coïncidences était vraiment si extraordinaire ! Avez-vous remarqué tout ce qu'il y a de fortuit là-dedans ? Il a fallu que tous ces événements arrivassent le seul jour de toute l'année où il a fait, où il a pu faire assez froid pour nécessiter du feu ; et, sans ce feu et sans l'intervention du chien au moment précis où il a paru, je n'aurais jamais eu connaissance de la tête de mort et n'aurais jamais possédé ce trésor.

— Allez, allez, je suis sur des charbons.

— Eh bien, vous avez donc connaissance d'une foule d'histoires qui courent, de mille rumeurs vagues relatives aux trésors enfouis quelque part sur la côte de l'Atlantique, par Kidd et ses associés ? En somme, tous ces bruits devaient avoir quelque fondement. Et si ces bruits duraient depuis si longtemps et avec tant de persistance, cela ne pouvait, selon moi, tenir qu'à un fait, c'est que le trésor enfoui était resté enfoui. Si Kidd avait caché son butin pendant un certain temps et l'avait ensuite repris, ces rumeurs ne seraient pas sans doute venues jusqu'à nous sous leur forme actuelle et invariable. Avez-vous jamais entendu parler d'un trésor important qu'on aurait déterré sur la côte ?

— Jamais.

— Or, il est notoire que Kidd avait accumulé d'immenses richesses. Je considérais donc comme chose sûre que la terre les gardait encore ; et vous ne vous étonnerez pas trop quand je vous dirai que je sentais en moi une espérance, une espérance qui montait presque à la certitude : le parchemin, si singulièrement trouvé, contiendrait l'indication disparue du lieu où avait été fait le dépôt.

— Mais comment avez-vous fait ?

— J'exposai de nouveau le vélin au feu, après avoir augmenté la chaleur ; mais rien ne parut. Je pensai que la couche de crasse pouvait bien être pour quelque chose dans cet insuccès ; aussi je nettoyai soigneusement le parchemin en versant de l'eau chaude dessus, puis je le plaçai dans une casserole de fer-blanc, le crâne en dessous, et je posai la casserole sur un réchaud de charbons allumés. Au bout de quelques minutes, la casserole étant parfaitement chauffée, je retirai la bande de vélin, et je m'aperçus, avec une joie inexprimable, qu'elle était mouchetée en plusieurs endroits de signes qui ressemblaient à des chiffres rangés en lignes. Je replaçai la chose dans la casserole, je l'y laissai encore une minute, et, quand je l'en retirai, elle était juste comme vous allez la voir.

Ici, Legrand, ayant de nouveau chauffé le vélin, le soumit à mon examen. Les caractères suivants apparaissaient en rouge, grossièrement tracés entre la tête de mort et le chevreau :

53‡‡+305))6*;4826)4±.)4±);806*;48+8¶60))85 ;
1±(;:±*8+83(88)5*+;46(;88*96*?;8)*±(;485);
5*+2 :*±(;4956*2(5*− 4)8¶8*;4069285);)6+8)4‡‡;
1(±9 ;48081 ;8 :8±1 ;48+85 ;4)485+528806*81(±9 ;
48 ;(88 ;4(±?34 ;48)4±;161 ;:188 ;±?;

— Mais, dis-je, en lui rendant la bande de vélin, je n'y vois pas plus clair. Si tous les trésors du monde devaient être pour moi le prix de la solution de cette énigme, je serais parfaitement sûr de ne pas les gagner.

— Et cependant, dit Legrand, la solution n'est certainement pas aussi difficile qu'on se l'imaginerait au premier coup d'œil. Ces caractères, comme chacun pourrait le deviner facilement, présentent un sens ; mais, d'après ce que nous savons de Kidd, je ne devais pas le supposer capable de fabriquer un échantillon de cryptographie bien complexe. Je jugeai donc tout d'abord que celui-ci était d'une espèce simple, tel cependant qu'à l'intelligence grossière du marin il dût paraître absolument insoluble sans la clef.

— Et vous l'avez résolu, vraiment ?

— Très aisément ; j'en ai résolu d'autres dix mille fois plus compliqués. Les circonstances et une certaine inclination d'esprit m'ont amené à prendre intérêt à ces sortes d'énigmes, et il est vraiment douteux que l'ingéniosité humaine puisse créer une énigme de ce genre dont l'ingéniosite humaine ne vienne à bout par une application suffisante. Aussi, une fois que j'eus réussi à établir une série de caractères lisibles, je daignai à peine songer à la difficulté d'en dégager la signification.

Dans le cas actuel, et, en somme, dans tous les cas d'écriture secrète, la première question à examiner, c'est la langue utilisée : car les principes de solution, particulièrement quand il s'agit des chiffres les plus simples, dépendent du génie de chaque idiome, et peuvent être modifiés. En général, il n'y a pas d'autre moyen que d'essayer successivement, en se dirigeant suivant les probabilités, toutes les langues qui vous sont connues jusqu'à ce que vous ayez trouvé la bonne. Mais, dans le chiffre qui nous occupe, toute difficulté à cet égard était résolue par la signature. Le rébus sur le mot *Kidd* n'est possible que dans la langue anglaise. Sans cette circonstance, j'aurais commencé mes essais par l'espagnol et le français, comme étant les langues dans lesquelles un pirate des mers espagnoles avait dû le plus naturellement enfermer un secret de cette nature. Mais, dans le cas actuel, je présumai que le cryptogramme était anglais.

Vous remarquez qu'il n'y a pas d'espaces entre les mots. S'il y en avait eu, la tâche eût été singulièrement plus facile. Mais, puisqu'il n'y avait pas d'espaces, mon premier devoir était de relever les lettres prédominantes, ainsi que celles qui se rencontraient le plus rarement. Je les comptai toutes, et je dressai la table que voici :

Le caractère 8 se trouve 33 fois

"	;	"	26	"
"	4	"	19	"
"	± et)	"	16	"
"	*	"	13	"
"	5	"	12	"
"	6	"	11	"
"	+ et 1	"	8	"
"	0	"	6	"
"	9 et 2	"	5	"
"	: et 3	"	4	"
"	?	"	3	"
"	¶	"	2	"
"	– et .	"	1	"

Or, la lettre qui se rencontre le plus fréquemment en

anglais est *e*. Les autres lettres se succèdent dans cet ordre : *a o i d h n r s t u y c f g l m w b k p q x z*. *E* prédomine si singulièrement qu'il est très rare de trouver une phrase d'une certaine longueur dont il ne soit pas le caractère principal.

Nous avons donc, tout en commençant, une base d'opérations qui donne quelque chose de mieux qu'une supposition. Puisque notre caractère dominant est *8*, nous commencerons par le prendre pour l'*e* de l'alphabet naturel. Pour vérifier cette supposition, voyons si le *8* se rencontre souvent double ; car l'*e* se redouble très fréquemment en anglais, comme par exemple dans les mots : *meet*, *fleet*, *speed*, *seen*, *been*, *agree*, etc. Or, dans le cas présent, nous voyons qu'il n'est pas redoublé moins de cinq fois, bien que le cryptogramme soit très court.

Donc *8* représentera *e*. Maintenant, de tous les mots de la langue, *the* est le plus utilisé ; conséquemment, il nous faut voir si nous ne trouverons pas répétée plusieurs fois la même combinaison de trois caractères, ce *8* étant le dernier des trois. Si nous trouvons des répétitions de ce genre, elles représenteront très probablement le mot *the*. Vérification faite, nous n'en trouvons pas moins de 7 ; et les caractères sont *;48*. Nous pouvons donc supposer que *;* représente *t*, que *4* représente *h*, et que *8* représente *e*, la valeur du dernier se trouvant ainsi confirmée de nouveau. Il y a maintenant un grand pas de fait.

Nous n'avons déterminé qu'un mot, mais ce seul mot

nous permet d'établir un point beaucoup plus important, c'est-à-dire les commencements et les terminaisons d'autres mots. Voyons, par exemple, l'avant-dernier cas où se présente la combinaison *;48*, presque à la fin du message. Nous savons que le *;* qui vient immédiatement après est le commencement d'un mot, et des six caractères qui suivent ce *the*, nous n'en connaissons pas moins de cinq. Remplaçons donc ces caractères par les lettres qu'ils représentent, en laissant un espace pour l'inconnu :

t...eeth

Nous devons tout d'abord écarter le *th* comme ne pouvant pas faire partie du mot qui commence par le premier *t*, puisque nous voyons, en essayant successivement toutes les lettres de l'alphabet pour combler la lacune, qu'il est impossible de former un mot dont ce *th* puisse faire partie. Réduisons donc nos caractères à

t...ee

et reprenant de nouveau tout l'alphabet, s'il le faut, nous concluons au mot *tree* (arbre), comme à la seule version possible. Nous gagnons ainsi une nouvelle lettre, *r*, représentée par *(*, plus deux mots juxtaposés, *the tree* (l'arbre).

Un peu plus loin, nous retrouvons la combinaison *;48*, et nous nous en servons comme de terminaison à ce qui précède immédiatement. Cela nous donne l'arrangement suivant :

the tree ;4(±?34 the,

146

ou, en substituant les lettres naturelles aux caractères que nous connaissons,

the tree thr ±?3h the.

Maintenant, si aux caractères inconnus nous substituons des blancs ou des points, nous aurons :

the tree thr... h the

et le mot *through* (par, à travers) se dégage pour ainsi dire de lui-même. Mais cette découverte nous donne trois lettres de plus, *o, u* et *g*, représentées par ±, *?* et *3*.

Maintenant, cherchons attentivement dans le crypto-gramme des combinaisons de caractères connus, et nous trouverons, non loin du commencement, l'arrangement suivant :

83(88, ou *egree*,

qui est évidemment la terminaison du mot *degree* (degré), et qui nous livre encore une lettre *d*, représentée par +.

Quatre lettres plus loin que ce mot *degree*, nous trouvons la combinaison

;46(;88*

dont nous traduisons les caractères connus et représentons les inconnus par un point ; cela nous donne :

th.rtee.;

arrangement qui nous suggère immédiatement le mot *thirteen* (treize), et nous fournit deux lettres nouvelles, *i* et *n*, représentées par *6* et ***.

Reportons-nous maintenant au commencement du cryptogramme, nous trouvons la combinaison

53 ±±+.

Traduisant comme nous avons déjà fait, nous obtenons *good,*

ce qui nous montre que la première lettre est un *a,* et que les deux premiers mots sont *a good* (un bon, une bonne).

Il serait temps maintenant, pour hâter notre conclusion, de disposer toutes nos découvertes sous forme de table. Cela nous fera un commencement de clef :

5	*représente*	*a*
+	"	*d*
8	"	*e*
3	"	*g*
4	"	*h*
6	"	*i*
*	"	*n*
±	"	*o*
(	"	*r*
;	"	*t*
?	"	*u*

Ainsi, nous n'avons pas moins de onze des lettres les plus importantes, et il est inutile que nous poursuivions la solution à travers tous ses détails. Je vous en ai dit assez pour vous convaincre que des chiffres de cette nature sont faciles à résoudre, et pour vous donner un aperçu de l'analyse raisonnée qui sert à les débrouiller. Mais tenez pour certain que le spécimen que nous avons sous les yeux appartient à la catégorie la plus simple de la cryptographie. Il ne me reste plus qu'à vous donner la traduction complète du document, comme si nous avions déchiffré successivement tous les caractères. La voici :

A good glass in the bishop's hostel in the devil's seat – forty-one degrees and thirteen minutes - north-east and by north – main branch seventh limb east side – shoot from the left eye of the death's-head – a bee-line from the tree through the shot fifty feet out.

(Un bon verre dans l'hostel de l'évêque dans la chaise du diable – quarante et un degrés et treize minutes – nord-est quart de nord – principale tige septième branche côté est – lâchez de l'œil gauche de la tête de mort – une ligne d'abeille de l'arbre à travers la balle cinquante pieds au large.)

— Malgré votre décryptage, dis-je, je reste toujours dans les ténèbres.

— J'y restai moi-même pendant quelques jours, répliqua Legrand. Pendant ce temps, je fis force recherches dans le voisinage de l'île de Sullivan sur un bâtiment qui devait s'appeler *l'Hôtel de l'Évêque*, car je ne m'inquiétai pas de la vieille orthographe du mot *hostel*. N'ayant trouvé aucun renseignement à ce sujet, j'étais sur le point d'étendre la sphère de mes recherches et de procéder d'une manière plus systématique, quand, un matin, je m'avisai tout à coup que ce *Bishop's hostel* pouvait bien avoir rapport à une vieille famille du nom de Bessop, qui, de temps immémorial, était en possession d'un ancien manoir à cinq kilomètres environ au nord de l'île. J'allai donc à la plantation, et je recommençai mes questions parmi les plus vieux noirs de l'endroit. Enfin, une des femmes les plus âgées me dit qu'elle avait entendu parler d'un endroit comme *Bessop's castle* (château de Bessop), et qu'elle croyait bien pouvoir m'y conduire, mais que ce n'était ni un château, ni une auberge, mais un grand rocher.

Je lui offris de bien la payer pour sa peine, et, après quelque hésitation, elle consentit à m'accompagner jusqu'à l'endroit précis. Nous le découvrîmes sans trop de difficulté, je la congédiai, et commençai à examiner la localité. Le château consistait en un assemblage irrégulier de pics et de rochers, dont l'un était aussi remarquable par sa hauteur que par son isolement et sa configuration quasi artificielle. Je grimpai au sommet, et, là, je me sentis fort embarrassé de ce que j'avais désormais à faire.

Pendant que j'y rêvais, mes yeux tombèrent sur une étroite saillie dans la face orientale du rocher, à un yard environ au-dessous de la pointe où j'étais placé. Cette saillie se projetait de dix-huit pouces à peu près, et n'avait guère plus d'un pied de large ; une niche creusée dans le pic juste au-dessus lui donnait une grossière ressemblance avec les chaises à dos concave dont se servaient nos ancêtres. Je ne doutai pas que ce ne fût la *chaise du Diable* dont il était fait mention dans le manuscrit, et il me sembla que je tenais désormais tout le secret de l'énigme.

Le *bon verre*, je le savais, ne pouvait pas désigner autre chose qu'une longue-vue ; car nos marins emploient rarement le mot *glass* dans un autre sens. Je compris tout de suite qu'il fallait ici se servir d'une longue-vue, en se plaçant à un point de vue défini et n'admettant aucune variation. Or, les phrases : *quarante et un degrés et treize minutes*, et *nord-est quart de nord*, je n'hésitai pas un instant à le croire, devaient donner la direction pour pointer la longue-vue. Fortement remué par toutes ces découvertes, je me précipitai chez moi, je me procurai une longue-vue, et je retournai au rocher.

Je me laissai glisser sur la corniche, et je m'aperçus qu'on ne pouvait s'y tenir assis que dans une certaine position. Ce fait confirma ma conjecture. Je pensai alors à me servir de la longue-vue. Naturellement, les *quarante et un degrés et treize minutes* ne pouvaient avoir trait qu'à l'élévation au-dessus de l'horizon sensible, puisque la direction horizontale était clairement indiquée par les mots *nord-est quart de nord*. J'établis cette direction au moyen d'une boussole de poche ; puis, pointant, aussi juste que possible par approximation, ma longue-vue à un angle de quarante et un degrés d'élévation, je la fis mouvoir avec précaution de haut en bas et de bas en haut, jusqu'à ce que mon attention fût arrêtée par une espèce de trou circulaire ou de lucarne dans le feuillage d'un grand arbre qui dominait tous ses voisins dans l'étendue visible. Au centre de ce trou, j'aperçus un point blanc, mais je ne pus pas tout d'abord distinguer ce que c'était. Après avoir ajusté le foyer de ma longue-vue, je regardai de nouveau, et je m'assurai enfin que c'était un crâne humain.

Après cette découverte qui me combla de confiance, je considérai l'énigme comme résolue ; car la phrase : *principale tige, septième branche, côté est*, ne pouvait avoir trait qu'à la position du crâne sur l'arbre, et celle-ci : *lâchez de l'oeil gauche de la tête de mort*, n'admettait aussi qu'une interprétation, puisqu'il s'agissait de la recherche d'un trésor enfoui. Je compris qu'il fallait laisser tomber une balle de l'œil gauche du crâne, et qu'une ligne d'abeille, ou, en d'autres termes, une ligne droite, partant du point le plus rapproché du tronc, et s'étendant, *à travers la balle*, c'est-à-dire à travers le point où tomberait la balle, indiquerait l'endroit précis, –et sous cet endroit je jugeai qu'il était pour le moins possible qu'un dépôt précieux fût encore enfoui.

— Tout cela, dis-je, est excessivement clair, et tout à la fois ingénieux, simple et explicite. Et, quand vous eûtes quitté l'*hôtel de l'Évêque*, que fîtes-vous ?

— Mais, ayant soigneusement noté mon arbre, sa forme et sa position, je retournai chez moi. À peine eus-je quitté *la chaise du Diable*, que le trou circulaire disparut, et, de quelque côté que je me tournasse, il me fut désormais impossible de l'apercevoir. Ce qui me paraît le chef-d'œuvre de l'ingéniosité dans toute cette affaire, c'est ce fait (car j'ai répété l'expérience et me suis convaincu que c'est un fait), que l'ouverture circulaire en question n'est visible que d'un seul point, et cet unique point de vue, c'est l'étroite corniche sur le flanc du rocher.

Dans cette expédition à l'*hôtel de l'Évêque*, j'avais été suivi par Jupiter, qui observait sans doute depuis quelques semaines mon air préoccupé, et mettait un soin particulier à ne pas me laisser seul. Mais, le jour suivant, je me levai de très grand matin, je réussis à lui échapper, et je courus dans les montagnes à la recherche de mon arbre. J'eus beaucoup de peine à le trouver. Quand je revins chez moi à la nuit, mon domestique se disposait à me donner la bastonnade. Quant au reste de l'aventure, vous êtes, je présume, aussi bien renseigné que moi.

— Je suppose, dis-je, que, lors de nos premières fouilles, vous aviez manqué l'endroit par suite de la bêtise de Jupiter, qui laissa tomber le scarabée par l'œil droit du crâne au lieu de le laisser filer par l'œil gauche.

— Précisément. Cette méprise faisait une différence d'une dizaine de centimètres environ relativement à *la balle*, c'est-à-dire à la position de la cheville près de l'arbre ; si le trésor avait été sous l'endroit marqué par *la balle*, cette erreur eût été sans importance, mais la balle et le point le plus rapproché de l'arbre étaient deux points ne servant qu'à établir une ligne de direction.

Naturellement, l'erreur, fort minime au commencement, augmentait en proportion de la longueur de la ligne, et, quand nous fûmes arrivés à une distance de cinquante pieds, elle nous avait totalement déviés. Sans l'idée fixe dont j'étais possédé, qu'il y avait positivement là, quelque part, un trésor enfoui, nous aurions peut-être bien perdu toutes nos peines.

— Mais votre emphase, vos attitudes solennelles, en balançant le scarabée ! Quelles bizarreries ! Je vous croyais positivement fou. Et pourquoi avez-vous absolument voulu laisser tomber du crâne votre insecte, au lieu d'une balle ?

— Ma foi ! Pour être franc, je vous avouerai que je me sentais quelque peu vexé par vos soupçons relativement à l'état de mon esprit, et je résolus de vous punir tranquillement, à ma manière, par un petit brin de mystification froide. Voilà pourquoi je balançais le scarabée, et voilà pourquoi je voulus le faire tomber du haut de l'arbre. Une observation que vous fîtes sur son poids singulier me suggéra cette dernière idée.

— Oui, je comprends ; et maintenant il n'y a plus qu'un point qui m'embarrasse. Que dirons-nous des squelettes trouvés dans le trou ?

— Ah ! c'est une question à laquelle je ne saurais pas mieux répondre que vous. Je ne vois qu'une manière plausible de l'expliquer, et mon hypothèse implique une atrocité telle, que cela est horrible à croire. Il est clair que Kidd – si c'est bien Kidd qui a enfoui le trésor, ce dont je ne doute pas, pour mon compte – il est clair que Kidd a dû se faire aider dans son travail. Mais, la besogne finie, il a pu juger convenable de faire disparaître tous ceux qui possédaient son secret. Deux bons coups de pioche ont peut-être suffi, pendant que ses aides étaient encore occupés dans la fosse ; il en a peut-être fallu une douzaine. Qui nous le dira ?

Table des matières

ISBN : 2-8006-7855-0
Dépôt légal : 02.01/0058/023

Imprimé en C.E.
N° d'impression :47040104